57-738

CERVANTES Y QUEVEDO

FRANCISCO AYALA, 1906 –

CERVANTES
Y QUEVEDO.

BIBLIOTECA BREVE
EDITORIAL SEIX BARRAL, S. A.
BARCELONA

Sobrecubierta: Alberto Corazón

Primera edición: abril de 1974

© 1974 by Francisco Ayala

Derechos exclusivos de edición
reservados para todos los países de habla española:
© 1974 by Editorial Seix Barral, S. A.,
Provenza, 219 - Barcelona

ISBN 84 322 0238 X
Depósito legal: B. 13.449-1974

Printed in Spain

NOTA EDITORIAL

En el presente volumen se reúnen varios artículos y ensayos de Francisco Ayala publicados originalmente en revistas, algunos de los cuales además han sido posteriormente editados en libro. Aparecido en La Nación *[Buenos Aires] (13 Octubre 1940) bajo el título de "Notas sobre un destino y un héroe", "Un destino y un héroe" pasó a engrosar más tarde el volumen* Experiencia e invención *(Madrid: Taurus, 1960); "La invención del* Quijote", *que aparecería en opúsculo con el mismo título (Puerto Rico: Editorial Universitaria, 1950) y figuraría además en la citada recopilación de ensayos del autor, inicialmente vio la luz en* Realidad *[Buenos Aires], I 5 (Septiembre-Octubre 1947); "La técnica de la composición en Cervantes", publicado con el título de "Nota sobre la novelística cervantina" en la* Revista Hispánica Moderna *(Enero-Octubre 1965), se incluyó con posterioridad en* Los ensayos: *teoría y crítica literarias (Madrid: Aguilar, 1972); "Experiencia viva y creación poética. (Un problema del* Quijote)", *aparecido con el título de "Experiencia viva y creación literaria" en* La Torre *[Puerto Rico], II 6 (Abril-Junio 1954), pasó luego a la citada compilación* Experiencia e invención, *a la que pertenecen asimismo "El nuevo arte de hacer novelas",* La Torre, *VII 21 (Enero-Marzo 1958), "Cervantes, abyecto y ejemplar",* La Nación *(16 Julio 1950), "Letras de cambio en el Siglo de Oro",* La Na-

7

ción *(17 Julio 1949), y "Observaciones sobre el* Buscón", La Nación *(19 Junio 1960); "Los dos amigos"* está constituido en parte por un ensayo homónimo del autor publicado en Revista de Occidente, III *(1965), y en parte por fragmentos de su prólogo a* El curioso impertinente, *de Cervantes (Salamanca: Anaya, 1967); "El túmulo", aparecido en* Cuadernos Americanos, CXXIX *(Julio-Agosto, 1963), pasaría a formar parte de* Realidad y ensueño *(Madrid: Gredos, 1963), volumen del que han sido entresacados también "El espacio barroco: Cervantes y Quevedo" y "Sueño y realidad en el Barroco"; "Hacia una semblanza de Quevedo" originalmente fue dado a conocer en* La Torre, 57 *(1967), y en* Cuadernos para el Idioma *[Buenos Aires] (1967); finalmente, "La batalla nabal" se publica por primera vez.*

UN DESTINO Y UN HÉROE

Siempre que se detiene uno a meditar sobre el destino de España—y esta meditación es para uno angustia vital o, si se prefiere, obstinada manía—; siempre que el español se hace cuestión de su ser histórico y se pregunta la causa última de esa extraña combinación de fracaso y de gloria, o mejor: de gloria en el fracaso, que es —más allá de toda casualidad—el fruto fatal de todos sus pasos, vuelve a acudirle a las mientes de nuevo, una y otra vez, símbolo de la raza, fórmula y cifra del carácter de su pueblo, la creación literaria del Quijote, figura ridícula ante el pragmatismo burgués, que, sin embargo, rinde a su perfil espiritual, tras la apresurada risa, el homenaje de una estupefacción en que termina por anegarse y deshacerse toda su primera actitud de suficiencia... Siempre de nuevo le pedimos la clave de aquel destino, de aquel ser histórico en que la tozudez heroica se quiebra siempre—aunque nunca se doble—, y en que todo el ímpetu resulta al final no sólo baldío en su inocencia y desnudo de eficacia, sino locura y origen de tremendos descalabros, de largas postraciones por terribles heridas soportadas sin una queja.

Por eso, viendo en ella la expresión cabal, extremada y esquemática de ese carácter conmovedor que las circunstancias moldearon en la arcilla española, se ha glosado con amorosa ponderación—y también, si no con exceso, con excesos notorios—la figura quijotil, la triste

9

figura del héroe aporreado e indómito. De esta adoración, que es una forma de la egolatría, dio Unamuno la más soberbia muestra con su nueva creación de la pareja de don Quijote-Sancho, desesperada de afirmaciones y penetrada de ansias. Más abundante aún, la labor erudita sobre el texto literario de la producción cervantesca es, sin embargo, en general, poco ilustradora acerca de las condiciones culturales en que surgió y del punto de su conexión profunda con el destino nacional, razón de su sentido trascendente. Pues claro está que puede y debe distinguirse—aun cuando sólo como dos elementos de un inescindible producto de cultura—entre el logro de la obra literaria y la creación de un mito que ingresa en la esfera de las representaciones colectivas, donde penetra, no por cierto en virtud de intereses de carácter humano universal, sino asumiendo de una vez para siempre, ante propios y extraños, la tipificación decisiva de lo español.

Para la inteligencia de aquellas circunstancias generales de cultura que condicionan la invención del Quijote y determinan su relieve espiritual único, ningún trabajo más útil, quizá, que el dedicado por Américo Castro a estudiar el pensamiento de Cervantes, a pesar de que su propósito dista bastante de estar orientado hacia este objetivo, apuntando más bien a destacar los contenidos ideológicos implícitos en la obra del escritor, para fijar así su fisonomía intelectual. Pero con ocasión de esta tarea atrae la atención sobre el panorama del pensamiento español de la época, y de aquí, sobre la específica situación cultural de España en tan decisiva encrucijada histórica.

Para una comprensión plena del sentido del *Quijote* es importante, sin duda alguna, el hecho de que Cervantes estuviera penetrado por completo del espíritu renacentista, moderno; que fuera un intelectual—un ingenio, como entonces se decía—al tanto de los problemas de su tiempo, y llevara a su obra de modo consciente un sistema de ideas y unas concepciones estéticas que eran las de la *élite* europea de su siglo, lejos de la habitual idea de un Cervantes ingenio lego, instrumento inerte de una genialidad concebida a lo romántico; pero sobre todo es esencial para aclararse el sentido integrador, la fuerza espiritual y social portada por la creación del *Quijote*, advertir que su autor se hallaba con esos contenidos de su pensamiento en un cierto ángulo de disidencia respecto de la posición oficial de su país—como, por otra parte, en mayor o menor grado, todos los grandes espíritus españoles del momento, los guías de la cultura, las individualidades que, saliendo del cálido e informe lecho de lo popular hacia formas activas del pensamiento, participaban en las grandes cuestiones de la comunidad de cultura a que pertenecían: la cristiandad, y que tan coherente, aunque varia y compleja, había sido hasta el Renacimiento.

Esta situación vital de Cervantes, como conciencia disidente, el conflicto íntimo de la disociación cultural que en ella se expresa, constituye una indicación más preciosa para la interpretación del mito quijotesco que los contenidos racionales e ideológicos que pueden des-

11

prenderse del texto. Pues el tino genial del escritor al encontrar su creación y formularla en éste no se debe tanto a sus posiciones intelectuales, expresas o tácitas, por más que éstas sean inseparables de la realización de la obra, como a la intuición, a una captación directa y más profunda, radical, del gran problema, de la situación cultural que determina el destino español, imposible de alcanzar con los recursos de un *pensamiento* que es, él mismo, uno de los elementos de aquella situación.

En último término, esta forma de conocimiento—que enlaza con el tema general de la inspiración—constituiría el criterio adecuado para resolver la debatida cuestión de la conciencia o inconsciencia del genio. Prescindiendo de las formulaciones toscas, y tan frecuentes en nuestro caso como indignas de atención, de la tesis de la pretendida inconsciencia de Cervantes, habría que considerar inconsciente a un autor en cuanto incapaz de explicar y explicarse por vías discursivas el sentido trascendente de su obra; pero consciente de él al mismo tiempo, en cuanto poseedor de la evidencia placentera de su logro ...

Cervantes escribe en el tiempo de apogeo, y por ello de inicial decadencia, del poderío político español, entre las encontradas fuerzas espirituales portadoras de aquel poderío y de esta decadencia, dominando así el punto crucial donde se fragua un destino común, cuya paradoja había de imponerse en esa hora, con dolorosa penetración, a las almas permeables. Y Cervantes acierta a plasmar su intuición de ese destino en una creación literaria. Por eso ha fascinado, como el oráculo que ofrece una clave vital en una fórmula medio secreta y, sin embargo, simple. Esto explica el hecho extraño de que el cervantismo no haya sido tan sólo afición, erudición y estudio, sino también un culto, y que se haya hecho del *Quijote* "una especie de evangelio"—según frase de Menéndez Pelayo—, con las correspondientes interpretaciones esotéricas.

En la locura de esa adoración, el aspecto de la locura del héroe, como tantos otros aspectos de la obra, ha sido objeto de consideración minuciosa, varia, curiosa, ociosa incluso, y más prolija desde cualquier punto de vista, sin perdón del realista-psiquiátrico, que sagaz desde el más importante: el que considera la función que tal artificio está destinado a desempeñar en la economía de la creación quijotil.

Aparece evidente, desde luego, que esa función va más allá del intento de procurar efectos cómicos, y también de la sátira trivial contra un género literario capaz de secar el cerebro a los lectores. Don Quijote no es simplemente un loco cuya insania le lleva a tropezar a cada paso con la realidad exterior, distinta de la que finge su mente enferma. Este tipo de recursos cómicos ajustados a una sensibilidad bastante cruda y brutal—la burla de locos, de ciegos; la risa del hambre: la chacota con la muerte—era frecuente en una época menos trabajada por criterios de finuras y delicadezas, aunque quizá de hecho menos castigada por la barbarie que la nuestra, y sin duda está presente y actúa entre las intenciones literarias de Cervantes, aun cuando tan sólo en un estrato muy superficial. Pero claro está que eso no es todo. Pues los contrastes cómicos perseguidos entre la realidad exterior y los contenidos subjetivos del protagonista hubieran podido alcanzarse siguiendo cualquier otro artificio, y sin ir más lejos, mediante un simple juego de equívocos.

La ficción de la locura añade por lo pronto sistema y organización a las imaginaciones del héroe; su objetividad quimérica, en contraste con la realidad en que se encuentra inmerso, no es ocasional, caprichosa, cambiante como un desfile de sombras, sino firme y articulada dentro de una estructura. Pero, además, no constituye un mundo de pura fantasía, sino—y aquí entra a actuar el elemento *libros de caballerías*—un mundo histórico ya periclitado, un orden que ha estado en vigor y fue a su vez, un día, elemento integrante de la realidad objetiva.

Causa del extravío mental del héroe son los libros de caballerías—de los que el *Quijote* es una sátira, sin duda, con la que se pretende combatir su boga. Y esas imaginaciones queridas expresaban en forma de estilizada fábula los ideales caballerescos que constituyeron el *ethos* del estamento noble en la sociedad medieval. Pues bien, ese *ethos* caballeresco—perteneciente a un mundo histórico ya por entonces desaparecido—es el que va a gobernar la conducta de don Quijote, poniéndola en contraste con la realidad social de su tiempo.

En su carácter caprichoso, ese género literario advertía ciertamente al lector que se abstuviera de dar consistencia y crédito al sistema de valores que regían la actividad poética de sus personajes, arquetipos de quie-

14

nes se colgaban las virtudes ideales del estamento noble del Medioevo; y el gusto por su lectura, más o menos persistente, ¿no revelaría acaso en la sociedad española del tiempo de Cervantes una blanda nostalgia de los recién perdidos ideales, y con ella, una actitud de indolencia que renuncia a vivir prácticamente dentro de un sistema firme de valores, o una falta de adhesión, o vaga repugnancia hacia los que hubieran correspondido a la nueva realidad? Acaso haya que buscar la razón de la sátira cervantesca en el carácter enfermizo de una inclinación literaria—y no más que literaria—hacia un sistema de ideales disociado por entero de la conducta práctica y de las condiciones ambientales de ella. Si así fuera, esto iluminaría ante nosotros la sátira contra los libros de caballería, ofreciendo su conexión con el sentido profundo del *Quijote,* perspectiva que nos libraría de una insatisfactoria alternativa: la de considerarla o como una motivación demasiado superficial de la obra, o como un puro pretexto desintegrado de su esencial significación...

Don Quijote, mediante el artificio de la demencia, acepta en su mundo de representaciones, según queda dicho, no una construcción de fantasía, sino un orden histórico del espíritu—sólo que ya decaído y pretérito—, y, por cierto, un orden al que se encuentra vinculado en sus raíces sociales el propio héroe. Alonso Quijano es, en efecto, un descendiente de la antigua nobleza inferior, hidalgo aldeano que, en la ociosidad de un estado carente ahora de función social, lleva esa vida cuyos rasgos ocupan las primeras y tan famosas frases del libro. Desde esta condición apacible salta a recorrer los caminos de España, a enfrentar la sociedad española de su tiempo con el *ethos* caballeresco de la Edad Media, aplicando en su conducta los principios de culto a la verdad, sentimiento del honor fundado en un proceder sin tacha, resignación en la desgracia, desprecio de la riqueza, y sobre todo de las comodidades y regalos de la vida, profesión del sacrificio y del espíritu de servicio, sentido de la dignidad y de la responsabilidad propia, respeto y defensa de los desvalidos, ejercicio de autoridad y administración de justicia sobre las clases inferiores y desconocimiento del orden social sostenido en el poder abstracto del Estado.

Este sistema de principios—cuya demostración a lo largo de las aventuras, discerniéndolo de las ideas contenidas en el texto, sería empeño para un trabajo más dilatado—, esta suma de valores que en la realidad histórica del Medioevo fue orientación de la conducta práctica para el estamento noble— y, en cierto sentido, para toda la sociedad—, integrándose entonces en el complejo vivo que le prestaba plasticidad y lo hacía flexible al relativizarlo con sus resistencias, es recogido ahora por nuestro hidalgo pueblerino desde un género novelesco fraguado con fantasía libérrima, para confrontarlo con la realidad de la sociedad española del siglo XVI, un mundo desconcertado, incapaz ya por su actual estructura de vivir el *ethos* caballeresco; pero que repele de otra parte los principios del *ethos* burgués que por entonces se abre paso más o menos decididamente en Europa, y que también en España pugna por infiltrarse,

16

aunque siguiendo caminos desviados y clandestinos que le vedan el acceso a la esfera sancionada, oficial y legítima de los ideales sociales.

La raíz última del humorismo trascendente del *Quijote,* mucho más allá de la comicidad de los contrastes, está en esa disociación permanente entre la clara línea seguida por el héroe y una realidad indócil a ella, ingobernable, no organizada, con la que tropieza a cada instante, y ante la que se quiebra siempre su lanza. Disociación que se inicia ya en el terreno de la propia realidad personal del protagonista—cincuentón al que en nada corresponde el extremo de su amor ideal ni la imagen de gallardía y poder físico a que pretende replicar; cuyas armas son celada de cartón y yelmo de Mambrino; cuyo corcel es Rocinante, y cuyo escudero, el rústico Sancho—, para luego irse reproduciendo en todos los planos de la realidad externa, a partir del esquema durísimo, desnudo e impersonal de la aventura de los molinos.

¿De qué modo puede explicar este esquema el destino histórico de España y en qué manera expresa su gran problema cultural?

Volvamos a Cervantes, al pensamiento de Cervantes y a su drama de conciencia. Consideremos la posición del ingenio renacentista, cuyo pensamiento se produce ya en las formas de un racionalismo crítico; pero que se desenvuelve en el ambiente español de la Contrarreforma, de aquel empeño gigantesco y absurdo por preservar la unidad de la cultura católica frente a la disolución humanística... Pero al hacerlo tratemos de evi-

17

tar ante todo la simplificación excesiva del drama de conciencia, pues la compleja disyuntiva espiritual ha sido entendida a veces con abuso y frivolidad, de manera tal que equipara la posición de Cervantes a la de un intelectual moderno que, sometido a las prescripciones restrictivas de un eventual régimen de *dictadura* política en el seno de la sociedad liberal burguesa, aguza el ingenio y afila su pluma para burlar las trabas externas que se oponen a la *libre emisión de sus opiniones,* y así, a partir de este cuadro típico de la situación cultural y de la realidad social correspondiente al liberalismo, se ha presentado a Cervantes—como en general a todos los escritores españoles del Siglo de Oro—cohibido bajo el peso imponente del aparato institucional destinado a preservar la concepción del mundo oficialmente sostenida y amedrentado por la amenaza de sus represiones.

Sería tan exagerado prescindir en absoluto de este aspecto, que en alguna medida cuenta, como inadmisible reducir a él la cuestión, porque ni es el principal ni alcanza a tocar su entraña. Pues ese aparato institucional no actúa como una simple presión mecánica, sino que es el instrumento de un orden del espíritu al que se había adscrito España y con el que se jugaba el destino nacional; de un orden en el que todo español participaba, quieras que no, por el hecho radical de su españolidad y cualesquiera que fuesen sus pensamientos.

Frente a esa ruptura de la unidad cultural del mundo cristiano que significan Renacimiento y Reforma, acometió España la empresa gigantesca de la Contrarreforma, dirigida a restaurar por las armas—es decir, por el camino del poder político, de donde proceden las decisiones últimas en el terreno de la historia—el imperio del Espíritu sobre el de la Razón. El fracaso de esta empresa la convierte en la primera empresa quijotesca de España, y crea una fisura definitiva entre ella y el resto de Europa, al mismo tiempo que una fisura íntima en el espíritu de los españoles, en quienes la conciencia individual se desdobla como una célula, quedando sometida al régimen intolerable de una doble legalidad, a un doble sistema de vigencias culturales: el español y el europeo. España había abrazado irrevocablemente —irrevocables son las grandes decisiones en la vida y en la historia—una causa destinada a sucumbir: la defensa del orden unitario del espíritu contra la atomización racionalista, y al fracasar en ella quedó ligada ya por la lógica de su decisión, obstinándose, con obstinación quijotesca, en mantener su verdad aun después de perdidas todas las batallas y a costa de todos los descalabros imaginables. Sus teólogos, sus filósofos, reconstruyeron durante los siglos XVI y XVII un orbe mental escolástico, cuando va haciendo camino por Europa el racionalismo humanista y el libre examen, y cuando las naciones—España misma entre ellas—se cierran en una pluralidad contrapuesta hacia desarrollos cada vez más independientes.

Los hombres de excepción que tienen contacto con las preocupaciones intelectuales de su tiempo, y cuyo pensamiento se produce ya dentro de las formas modernas, humanistas, serán los primeros en percibir el drama de la interior disensión con los ideales nacionales, que, naturalmente, comparten también y llevan alojados en su conciencia. Pero con el tiempo se irá ampliando este disenso a capas de población cada vez más anchas, conforme se van extendiendo a ellas las formas de vida recibidas de fuera y nacidas en la dirección cultural que triunfara en su día contra el esfuerzo español. Y así, va creciendo también en superficie y profundidad la comprensión del *Quijote* como cifra de una angustia de que, ya al final, apenas algún pastor en las sierras podrá sentirse exento...

Pues bien, entre el pensamiento de aquellos teólogos que, en medio de un mundo moderno, siguen discurriendo por las vías de la escolástica y los principios caballerescos que don Quijote aplica a la realidad de su tiempo, ¿no se advierte una correspondencia que va más allá del esquema de la disociación y toca a los contenidos concretos?

Pero en esa situación, ya de por sí torturadora, origen de dolorosas infecundidades, hay un elemento que le presta el más alto patetismo y de donde surte la inagotable energía del mito quijotesco. Consiste en la luminosa armonía de los principios profesados y elegidos para padecer por su justicia; es el patetismo de la nobleza en desgracia.

Fácil resulta imaginar cómo, sin la superioridad que los ideales caballerescos en que se inspira don Quijote tienen sobre el pragmatismo y sobre un subjetivismo refractario a toda unidad, su figura caería en lo grotesco, y el artificio de la locura de libros de caballerías sería útil tan sólo para derivar efectos cómicos de apenas otra categoría que el habitual *quid pro quo* de las comedias, nunca el humorismo trascendente que se desprende de la creación cervantesca.

En virtud de su superioridad se eleva el héroe por encima de los supuestos de la ficción y aparece ante el lector—Unamuno lo ha visto bien—poseído de una razón más firme y, por así decirlo, de una realidad más real que el mundo con que tropieza. Así, lo vemos levantarse en la mesa de los duques, frente al clérigo que se atreve a amonestarlo, y hacer convincente su causa —ahora en forma directa, sin otra ironía que la sátira humanista contra el intruso, sin que el autor tome distancia alguna respecto de su personaje—frente a las persuasiones burguesas del eclasiástico, que le aconseja : "Volveos a vuestra casa y criad vuestros hijos, si los tenéis, y curad de vuestra hacienda".

El ser quijotil es inconcebible sin la disyunción entre el medio social donde se mueve el hombre y el sistema de valores que rige su conducta, inadecuado a aquél, pero superior en todo caso. Un hombre que viviera con pleno rigor y pureza los principios vigentes en la sociedad de que forma parte podría ser admirado y tenido por dechado de procederes, quizá compadecido por los contratiempos que su rectitud le ocasione; pero carecerá del matiz extravagante de lo quijotesco, nacido de aquella inadecuación y de la rigidez de unos principios no incorporados a un complejo vivo, sino llevados en su desnudez al seno de una sociedad desquiciada.

Por eso suelen encontrarse en España, junto a la forma quijotesca de sus más genuinas manifestaciones colectivas y de sus más peculiares estilos de reacción, tipos individuales que realizan lo quijotesco, viejos caballeros provincianos, hidalgos pueblerinos, quijotes, que actúan no como simples supervivencias de clases nobles que aún conservaran su significación social en tal o cual rincón del país, sino por pura afección mental a un orden de valores que no ha sido sustituido por ningún otro, pero que para nada se corresponde con la realidad social en torno. Son concreciones particulares de un destino nacional que "se atreve a más de a lo que sus fuerzas le prometen" y que por eso tiene que "sufrir y callar".

En su planteamiento primero y más externo, el *Quijote* se nos da como una sátira literaria: quiere combatir el auge de los libros de caballerías, y en esta visible intención ha creído la crítica, muchas veces, que se agotaba el sentido del libro, sin apurar por otra parte las perspectivas que en su camino se le ofrecen. Pues ¿qué significaba ese auge de la literatura caballeresca en aquel momento de España? ¿Era acaso el alimento de un espíritu puesto en heroica tensión, o era ya la evasión y el relajamiento de ésta por el camino vicario de la fantasía? Tal vez había en ello algo de ambas cosas; mas serían necesarios largos estudios y muchas páginas para dilucidarlo. Tal vez a la hora de escribirse el *Quijote* ya decrecía ese auge,[1] y Cervantes, buen gustador él mismo de esa literatura que tantas huellas dejara en todas sus obras, y no sólo en el *Quijote,* reacciona, hastiado, contra ellas, y coloca así de lleno este libro en el plano de la más densa actividad intelectual del momento, como pieza de combate en el campo de los problemas estético-literarios debatidos entonces, y cuya discusión, reanudada de varias maneras, será uno de los motivos que de modo permanente se reiteran a lo largo de la primera y de la segunda parte.

---

[1] El último libro de caballerías compuesto en España, *Don Policisne de Boecia,* obra de don Juan de Silva y Toledo, se publicó en 1602.

Pero es claro que la intención del *Quijote* no se detiene en esa sátira, sino que, por el contrario, apunta ya mediante ella hacia el fondo mismo del mito quijotesco: los ideales góticos, fuertemente estilizados en dicha literatura, chocan con la realidad del mundo nuevo, dando lugar a un conflicto cultural que—todavía presentado en los términos sumarios de una sátira contra un determinado género de ficción y el gusto por él—es ya el propio conflicto cultural encerrado en la Contrarreforma, con su profunda incongruencia histórica. Si, como tantas veces se ha pretendido, Cervantes hubiera tomado partido ahí en contra de aquellos ideales obsoletos, a la manera de un reformador social, de un polemista, el *Quijote* no hubiera pasado de ser una tal sátira, más o menos divertida, más o menos eficaz, pero desprovista de verdadera trascendencia. Lejos de ello, presenta el conflicto en toda su hondura y plenitud, y si vincula los ideales góticos a un demente de apariencia ridícula, hace de él, al mismo tiempo, el héroe a quien asiste una razón superior sustraída a toda demencia. ¡Asombrosa complejidad, la de su creación! El valor altísimo de ese héroe no encarna en una figura legendaria, imponente, sino en el cuerpo flaco de un hidalgo aldeano, viejo, desaseado y maniático, que bien pudiera ser vecino nuestro. Sin perder un instante esta realidad inmediata, va a elevarse, no obstante, a las cumbres olímpicas de lo sobrehumano. ¿De qué modo? ¿Por qué medios? Ante todo, mediante el recurso de la locura: el protagonista de la sátira cervantina es un loco.

Familiarizado con don Quijote, y más aún, solidarizado con su conducta, persuadido de su razón superior, el lector actual propenderá a considerar tosco e impropio ese recurso, sintiendo como intolerable que su grandeza sea colocada bajo el régimen atroz de la locura, y sometida así a vejamen. ¡Sublime locura, "enloquecimiento—dirá Unamuno—de pura madurez del espíritu"!... Nos falta todavía un estudio que organice la historia del *Quijote,* y no sólo en los aspectos relativamente externos y técnico-literarios, sino también en el de su operación espiritual sobre las sucesivas generaciones, con vistas a establecer la reacción de la sensibilidad dominante en cada época frente a su complejo poético y, con ello, el modo como éste ha contribuido a modelar la vida colectiva. Ese estudio—en el que constituiría sin duda un capítulo pintoresco, si bien no desprovisto de aguda significación, el dedicado a reseñar los desvaríos del cervantismo—[2]mostraría, por una parte, la creciente profundización en el sentido esencial del mito quijotesco hasta llegar a la generación del 98, que lo enlaza resueltamente con el destino peculiar de España, sellado en la decisión de la Contrarreforma; pero, por otra parte, es posible que delate también una paulatina pérdida de aptitud para percibir en el *Quijote* el valor estético de su dimensión grotesca, tan propio del Barroco. Lo cierto es que, haciendo mérito de tal embotamiento, se ha solido ensalzar la sensibilidad pre-

[2] Del contagio psíquico sufrido por centenares de españoles a lo largo de los siglos dan testimonio los muchos libros y artículos de carácter maníaco acerca del *Quijote* y su autor, que consentirían hablar de un *delirio cervantista.*

sente en contraste con la más grosera del tiempo de Cervantes, y de Cervantes mismo en cuanto hombre de su tiempo. Al lector actual, formado en el Naturalismo, y para quien la demencia no pasa de ser, o es ante todo, una enfermedad objeto de estudio y una desgracia digna de compasión, la burla del héroe loco tiene que repugnarle;[3] se sentirá obligado a apartar de sí cualquier tentación burlesca; y, desde luego, no percibirá tampoco ese escalofriante titilar del espíritu a través de las brumas de la conciencia perturbada, que diera al demente su prestigio antiquísimo, convirtiéndolo en un ser sagrado y sometiéndolo al trato ambivalente que a lo sagrado se aplica siempre. Como aquellos locos cuya divina furia adora la antigüedad o el Oriente, como los ermitaños y mendigos en quienes España delira, como los *tontos* que todavía son irrisión de sus aldeas, don Quijote es entregado a la veneración y al vilipendio, de donde Cervantes extrae riquísimas consecuencias de arte, no sólo desplegando entre esos polos la amplia gama que va de lo patético a lo grotesco, en contrastes de barroquismo extremo, sino también—y eso es lo que más importa—al utilizar su polaridad para conferir consistencia espiritual y significación mítica a un personaje de ficción que debía expresar en cifra el drama de España agarrotada en la Contrarreforma. Así es como

---

[3] A esa actitud responden, típicamente, los estudios que se han hecho a veces del "caso" don Quijote con el designio de encuadrarlo desde el punto de vista clínico, y que, interesantes como curiosidad, son disparatados en cuanto quieren fundar juicios literarios.

puede encerrar en la inescindible unidad de un solo individuo ese conflicto desesperado de orden cultural; es decir, vital-espiritual; dando por loco a su personaje, lo extrae del plano de la realidad diaria, y si por un lado lo ofrece a la chacota, por el otro lo proyecta hacia una esfera sobrehumana.

Que la locura es en Cervantes algo más que un recurso utilizado para montar su sátira se comprueba tan pronto como reparamos en que, dentro del conjunto de su producción, otro orate asume frente a don Quijote valor parejo y complementario: el licenciado Vidriera, también abocado a la admiración y al vejamen. Una serie de paralelismos—que rebasan sin duda las coincidencias imputables a la identidad de autor—se descubren, en efecto, entre una y otra creación literaria.[4] Pero por encima de tales coincidencias y a base de ellas se eleva el contraste entre el loco del conocimiento y el loco de la acción, que hace complementarias ambas fic-

---

[4] En ambas, se omite de propósito el lugar de origen del protagonista; porque el autor no quiere acordarse, en el *Quijote*; mientras que en *El licenciado Vidriera* es el propio personaje quien lo oculta, y ello por una razón quijotesca; reserva el declararlo para el día en que las propias hazañas puedan darle lustre. Como don Quijote también Tomás Rodaja cambia de nombre: primero, por vía de apodo, pasa a ser llamado Vidriera (recuérdense también los títulos de Caballero de la Triste Figura y Caballero de los Leones); luego él mismo dignifica su Rodaja en Rueda, evolución que, en cierto modo, equivale a las variantes del apellido de Alonso Quijano. Como éste, también pasa aquél de la cordura a la demencia para terminar en una salud melancólica, que significa decadencia y muerte, etc.

ciones como miembros de una unidad de sentido (aquella misma que integran *armas* y *letras,* tema de especulación en el *Quijote,* y que se encuentra incorporada a la estructura íntima de *El licenciado Vidriera*). Este último demente, más penetrado del viejo carácter sacro, es un oráculo al que le son sometidos *enigmas,* y que los resuelve por sentencias. Frágil, quebradizo—como de vidrio que es—, no soporta contacto alguno material: su saber luce y brilla encerrado ahí, en el fanal de su cuerpo. En cambio, don Quijote expone el suyo a todos los golpes y malos tratos del mundo, porque es asiento no de un puro conocer, sino de una pura voluntad de acción...[5] La locura sirve, pues, a Cervantes para potenciar direcciones radicales del espíritu. En vez de ser pretexto para gracias groseras, como parecen pretender algunos, está llamada a establecer contacto con lo sobrehumano desde las raíces mismas de la más desamparada humanidad. De un salto, la demencia va a arrebatar al protagonista desde la vulgaridad de aquella "condición y ejercicio" del hidalgo lugareño hasta el plano heroico. La imprecisión del lugar, la del propio apellido del protagonista—dejado en la alternativa de Quijada, Quesada o Quejana, con la ulterior variante de Quija-

---

[5] No es cuestión de entrar aquí en el debatido problema, que entiendo falso en su planteamiento, de la concepción originaria del *Quijote* como una "novela ejemplar" más. Las indicadas conexiones con *El licenciado Vidriera* nada prejuzgan acerca de la solución de ese problema literario, si es que ella, lo que no creo, ha de dar la razón a una de las dos tesis contrapuestas.

no—, crean una indeterminación en la que, siendo exactos, netos, eficacísimos cual pinceladas impresionistas los datos de la existencia previa, se rebajan, sin embargo, a la categoría de lo genérico, como difuminados en conjunto por la atmósfera caliginosa de la aldea castellana... Pero en seguida, al iniciarse el tercer párrafo ("Es, pues, de saber..."), la locura, la determinación de hacerse caballero andante, lo absolutamente concreto emplazándose fuera del ámbito de la realidad. Hasta ese momento no teníamos ante nosotros sino a un hidalgo cualquiera de cualquier pueblo manchego; pero a partir de este punto, los materiales comunes todos empiezan a organizarse y perfilarse en don Quijote, que, "armado de todas sus armas", los deja tras de sí, perdidos, lejanos, esfumados, desde el capítulo segundo. Ya el ideal gótico—"armas que habían sido de sus bisabuelos", "tomadas de orín y llenas de moho", "luengos siglos ... , puestas y olvidadas en un rincón"—va a enfrentarse con el mundo nuevo, empeñado en imponerle sus normas... Nada tan arriesgado como los posteriores regresos del loco desatado a aquel su ambiente de origen: serán la prueba suprema de la creación operada, y Cervantes la repite una y otra vez con sutilísimas variaciones. Momento llegará (capítulo segundo de la segunda parte) en que ese mundo cotidiano vuelva evocado por el propio don Quijote, y no ya en las personas familiares del cura y el barbero, el ama y la sobrina. "Y dime, Sancho: ¿qué es lo que dicen de mí por ese lugar? ¿En qué opinión me tiene el vulgo, en qué los hidalgos y en qué los caballeros?" Conocido es el informe del escudero. Pero el héroe está ya muy lejos de murmuraciones y comentarios. "Yo sé quién soy", había dicho con ocasión de su primer regreso: él es don Quijote, pura determinación heroica; la demencia le ha hecho ser quien es, lo ha elevado desde la forma de un hidalgo de pueblo hasta el terreno de las más altas significaciones espirituales. Y cuando, tras su último y definitivo regreso, renuncia a la locura para entrar en la muerte, su asombroso despertar nos dejará cabal, clausurado, el perenne mito.

Pero, al alejarse de su circunstancia cotidiana, don Quijote no ha roto con este orden de la realidad para cumplir sus hazañas en el terreno de la fantasía; las cumple con los pies clavados en el suelo y actuando sobre un mundo donde él es, no don Quijote, sino un loco risible. Y así, vemos alzarse de las condiciones vulgares de una existencia humilde la quimera del ideal gótico, que va adquiriendo paulatinamente consistencia y plenitud de sentido, hasta convertirse en una esfera superior de la realidad, perfilada y sostenida en el contraste con el orden de lo cotidiano. De ahí el sesgo grotesco, por el que don Quijote introduce en el mundo un principio de salvación no sin analogías con el contenido en el sacrificio cristiano.

Ahora bien, entre las alturas sobrehumanas donde se desenvuelve la hazaña espiritual del héroe y el estrato de la vida cotidiana constituida por formas tradicionales, elementales casi, se intercala en el *Quijote* un conjunto organizado de representaciones donde se incorporan los motivos de una intensa elaboración cultural. Este sector de la obra, correspondiente a la alta cultura, en el que Cervantes confronta a don Quijote, no ya con venteros y mozas de partido, arrieros y yangüeses, sino con las actitudes sentimentales, las concepciones y los intereses superiores de la época, debe hallarse, sobre todo, en las narraciones o novelas interpoladas en el relato principal, de las que con tanta frecuencia y tan poca razón se ha supuesto estaban destinadas a amenizarlo, o a sostener acaso con su más complicada trama el curso lineal de las aventuras quijotescas. Ellas nos entregan, estilizada, la actualidad histórica de Cervantes, como vida problemática, penetrada de ideales; pues ese conjunto de ficciones, ya casi por completo desvanecidas para nosotros en cuanto a su capacidad de aludir a realidades, contiene el cuadro objetivado de la experiencia más valiosa del autor, con la que va a enfrentar a su héroe grotesco.

Cabe distinguir, pues, en el *Quijote* tres diferentes planos o esferas de realidad: en primer lugar, el plano donde se mueve la gente ajetreada en los afanes del vivir práctico, y al que corresponde lo que, en los términos habituales de la crítica, suele designarse como su elemento *realista*; en segundo lugar, el plano de aquella humanidad que se agita a impulsos de intereses espirituales, en particular del arrebato erótico, y al que, por contraste, se podría denominar *idealista,* o aun—anacrónicamente—romántico; y por último, el plano de las altas significaciones correspondientes al mito quijotesco o plano *trascendental.* De estos tres planos es, sin duda, el segundo aquel que más alejado queda de la retina actual: los ojos del hombre de hoy están avezados a la percepción realista; y el sentido trascendente del mito quijotesco ha sido intuido siempre y, por último, penetrado a fondo. La percepción de la realidad a través de esquemas ideales, en cambio, se ha distanciado o, mejor dicho, se ha superficializado hasta reducirse a la mera trivialidad de un sentimentalismo a base de lugares comunes; tanto que, para captar ese plano de la realidad del *Quijote* con suficiente plenitud, es indispensable adoptar el punto de vista adecuado, que sólo mediante apelación a la historia de la cultura puede alcanzarse. De otro modo, resultará fatal la deformación, por ejemplo, del fuerte Eros cervantesco hacia la delicuescencia de ese amor romántico, cuyos restos convencionales alimentan la subliteratura y el cine de nuestros días. Y, con todo, no podrá obtenerse una comprensión justa de la creación del *Quijote* sin haber restablecido en toda su densidad poética los valores literarios que se realizan en ese segundo plano, ya que es sobre él donde la figura del héroe adquiere su concreto perfil, su trascendental determinación histórica.

El acceso al ámbito de la alta cultura, interpuesto entre la existencia cotidiana y la aventura espiritual en que el mito quijotesco consiste, está facilitado mediante las más sutiles gradaciones: el viejo hidalgo, enloquecido, chocará primero con la realidad cruda en sus manifestaciones casi naturales, y toda la serie de golpes que recibe a lo largo del libro, infligidos por manos brutales y toscas, se resumen expresivamente en la aventura de los molinos de viento. Pero luego va a tropezar con una humanidad en que la existencia es vivida como preocupación y sentida como problema; el estilizado ideal gótico de su locura se confrontará ahí con un mundo penetrado, a su vez, de otros ideales de cultura. Y no es mera casualidad que éstos se presenten frente a don Quijote encarnados, por su parte, en otro orate: Cardenio, el loco de amor.

Pero su encuentro con él está preparado mediante ese alquitarado preludio que es el suceso de Marcela y Grisóstomo. Antes de iniciarse este preludio, la personalidad de don Quijote había comenzado a levantarse sobre el suelo vulgar y doméstico de ama, sobrina, cura y barbero, para acusar su insania frente al posadero pícaro, el labrador Juan Haldudo, los mercaderes toledanos, mozos de mulas, frailes, señora vizcaína en viaje a Indias..., toda una población de seres absorbidos, cada cual según su condición, en los trabajos del diario tráfago. Desde su prosa vamos a elevarnos ahora al terreno *poético* mediante unas delicadas transiciones. Don Quijote y Sancho se recogen a hacer noche junto a las chozas de unos cabreros. Se trata de cabreros reales: el olor de los tasajos que atrajo hacia el caldero el apetito de Sancho, las groseras ceremonias con que convidan a don Quijote, se encargan de recordárnoslo. Y, sin embargo, siguiendo el camino de ese realismo, pisamos ya los umbrales de la Arcadia. Su atmósfera es creada por el mismo don Quijote, que, igualando a su criado consigo en la mesa, inicia el ambiente de idealización pastoril y prepara el discurso de la edad de oro. Con él, y en el silencio solemne de la noche, se ha constituido la expectativa del sagrado Eros, que pronto va a hacer acto de presencia. Todavía establecerá un compás la canción del zagal Antonio, que aborda el tema amoroso por el lado rústico en un tono semi-lírico, semi-burlesco, donde resuena Gil Vicente. Ahora, por fin, en una poderosa ráfaga, va a manifestarse el Eros pagano. De los cabreros reales hemos pasado a los pastores fingidos —"aquel famoso pastor estudiante llamado Grisóstomo", "Marcela, la hija de Guillermo el rico, aquella que se anda en hábito de pastora por esos andurriales"—, y de la vida vulgar, a una vida conducida por las altas pasiones del alma. Los enlaces entre uno y otro mundo están primorosamente ejecutados; mas, pese a ello, no deja el lector de advertir que, en definitiva, se trata de dos esferas incomunicables.

La historia de Marcela y Grisóstomo nos ofrece, en términos purísimos, decantados, descarnados hasta el escalofrío, la fatalidad del Eros, que, después en otros episodios y con otros personajes, contemplaremos actuando en medio de circunstancias tomadas del campo histórico, de la actualidad social inmediata. Esos pastores de égloga—mejor dicho: esos seres humanos disfrazados de pastores—juegan su tragedia fuera de tales circunstancias: son almas desnudas, bajo el disfraz pastoril, y consideración ninguna atempera el rigor de su pasión. Poseído de amor irresistible, Grisóstomo se ahorca, renunciando a salvar el alma ("Y con esta opinión y un duro lazo, / acelerando el miserable plazo / a que me han conducido sus desdenes, / ofreceré a los vientos cuerpo y alma / sin lauro o palma de futuros bienes", ha anunciado en su terrible *Canción desesperada*) y dejando orden de que lo entierren junto a la roca de su amor y definitivo desengaño. Allí mismo aparece Marcela para sellar con su irrefragable exculpación la fatalidad cerrada del caso. "El cielo—dice—aún hasta ahora no ha querido que yo ame por destino; y el pensar que tengo de amar por elección es excusado". "¿Por qué queréis que rinda mi voluntad por fuerza?" Sin condiciones se afirma ahí la libertad del alma, sólo sujeta al destino; y todo el análisis platónico que el discurso proferido por Marcela contiene nos coloca frente a una fuerza superior, de carácter demoníaco: la misma que hemos de hallar, debatiéndose contra las circunstancias de la vida real, en la historia de Cardenio.

Cardenio, el loco de amor. En verdad que esta historia requeriría un menudo estudio de su prodigiosa técnica literaria; pero aquí vamos a reducirnos a considerar la operación de la fuerza erótica en la textura de su complicada trama como contraste con el ideal quijotesco. El hallazgo de la maleta, la visión del hombre que salta de risco en risco y de mata en mata, la noticia suministrada por el viejo cabrero y, en fin, la aparición de Cardenio, vuelven a elevarnos otra vez, desde el plano vulgar, realista, hasta el mundo de los tensos deseos cargados de significación espiritual. La escena en que don Quijote y Cardenio son colocados frente a frente anuda en estrechísimo nexo una comicidad irresistible con el vislumbre del misterio suprarracional, de modo que una vez más vuelve a hacerse patente aquí el carácter sagrado de la locura. Cardenio, dispuesto a relatar su historia, establece una condición: el relato no podrá ser interrumpido, so pena de quedar suspenso y cortado en ese punto mismo. Será quizá el temor a que se quiebre el tenue hilo de su coordinación mental lo que le mueve a imponerla; pero lo cierto es que, por si no fuera ya bastante aterradora la fragilidad de ese hilo, aparece la condición ligada secretamente a un incomprensible orden de relaciones; se trata de una verdadera condición mágica, que le recuerda a don Quijote el cuento del paso de las cabras, poco antes suspendido por Sancho, en el instante de ser vulnerada su condición formal. La magia folklórica de ese cuento, en que el absurdo adopta un tono de burla, ha servido para preparar el salto hacia el misterio de la vesania, y ahora ya nos hallamos fuera del orden razonable de lo cotidiano. El relato de Cardenio ha hurgado por accidente en el tema de don Quijote, y éste, de oyente sensato y compasivo que era, pasa a reaccionar en caballero andante... La poderosa comicidad de la escena (una de las más ricas en valores artísticos y técnico-literarios que la obra contiene) no impide su efecto trascendental: pues el despropósito de don Quijote precipita a Cardenio en la sima de su propia insensatez. Así es como el caballero, que en seguida fingirá con su penitencia una locura de amor preceptiva, imitada en Beltenebros, se enfrenta con un verdadero loco de amor, cuya demencia abre las puertas hacia una vida cargada de elevados intereses, de finos problemas espirituales y morales.

Ahora, los amores de Cardenio y Luscinda, el de Fernando hacia ésta, la seducción de Dorotea por el mismo

Fernando y el desenlace del apretado nudo van a presentarnos al amor sometido al régimen de las circunstancias sociales, y debiendo triunfar no sólo de sus trabas, sino, además, de las ingerencias perturbadoras del apetito carnal. Cardenio es separado de Luscinda, al crecer con la edad el amor, "por buenos respetos"; intereses lo alejan de ella para ir a casa del duque Ricardo; obediencia de buen criado lo retiene lejos mientras la traición del falso amigo se consuma. Sumisión filial llevará a Luscinda hasta la resistida boda con Fernando, a la que sólo por la muerte piensa sustraerse. Y en el caso de Dorotea, son también consideraciones del buen parecer las que en definitiva la persuaden a entregarse al poderoso seductor. (Compárense las obligaciones que pesan sobre todos ellos, con la libertad absoluta en que nos son presentados Marcela y Grisóstomo.) El desenlace feliz del conflicto reconcilia por último todas las irregulares situaciones con el orden civil sancionado por la Iglesia; pero esta reconciliación—para contraste, debe recordarse la muerte y entierro pagano de Grisóstomo— no es un acuerdo formal o forzado: consiste más bien en el ajuste de los sentimientos del amor verdadero con las normas sociales, que si en el caso Fernando-Dorotea (amor por elección) prevalecen, se pliegan a Eros en el caso Cardenio-Luscinda (amor por destino).

Así, el tema que se inició en condiciones de purísima intemporalidad, a la manera de obertura, viene a desplegarse en medio de las circunstancias de la realidad histórico-social, por lo pronto con la aventura de Cardenio y todas sus complicadas conexiones y secuencias, y en seguida con los demás episodios—no excluida la invención de la princesa Micomicona, ni la lectura de *El curioso impertinente*—, que se anudan a aquel núcleo durante la permanencia del grupo de don Quijote en la venta, con la llegada de don Fernando y Luscinda, la del cautivo de Argel y, en fin, la del Oidor, así como los deliciosos amores casi infantiles de don Luis y doña Clara. Y todavía, tras los dos días pasados en la venta—que ocupan con sus acontecimientos la tercera parte del *Quijote* de 1605—, el tema viene a cerrarse con el episodio del cabrero Eugenio (cap. LI), donde al suceso de Marcela y Grisóstomo se le imprime una variación mediante contraste de marcado barroquismo; en lugar de la libertad del alma, el "natural instinto" de la hembra es origen ahora de los desdenes de la hermosa pastora y los celos del pastor enamorado. Leandra, cortejada por tantos buenos pretendientes, se ha prendado del oropel y fanfarronería que el soldado Vicente de la Rosa despliega. "Y como en los casos de amor no hay ninguno que con más facilidad se cumpla que aquel que tiene de su parte el deseo de la dama", huye con el soldado, que la roba y la abandona en una cueva, dejándola, sin embargo, con la joya "que, si una vez se pierde, no deja esperanza de que jamás se cobre", "continencia del mozo", que, por paradoja, es su peor ultraje a la lascivia de la mujer...

Todas esas almas apasionadas integran un armonioso conjunto que, poderosa y ricamente, modula el tema de Eros; un conjunto prodigioso, en el que las voces individuales se relacionan entre sí para componer diversas agrupaciones, ordenadas a su vez en equilibrios complicadísimos, en interminables enlaces, alrededor del profundo acento con que don Quijote sostiene el eje de la composición toda. Y sin duda ha sido ese arte barroco de la estructura, que consiente autonomía, dentro del recargado retablo, a cada uno de sus elementos, lo que más indujo a considerar las distintas novelas o relatos que componen la obra como piezas independientes, agrupadas mediante una habilidad externa, aunque muy sutil, para amenizar las aventuras, de otro modo un tanto monótonas, de los protagonistas. Desde la novela de *El curioso impertinente,* que se da como un manuscrito hallado, donde están narrados hechos de otro tiempo y lugar, y cuya lectura realizan en actitud crítica los personajes del *Quijote,* hasta la vida del cautivo, quien se entra por las puertas trayendo consigo su propia novela, en cuyo desenlace todos han de intervenir, actuando a la vista del lector, apenas puede imaginarse engarce que Cervantes no haya utilizado en la montura de su obra. Atrevidísimos escorzos—al lado de los cuales resultan forzados y triviales a un tiempo mismo los recursos técnicos de un Pirandello, de un Cocteau—abren en ella los más imprevistos accesos a la realidad, colocándonos ante perspectivas de novedad perpetua; así, por ejemplo, la historia de la princesa Micomicona es una fabulación fraguada por el cura y el barbero, según el modelo del cuento fantástico-caballeresco, para operar sobre la conducta real de don Quijote, prendiendo en su delirio; y, en efecto, interfiere en el desarrollo de la aventura quijotesca; pero esa especie de mascarada—aunque burlesca, eficaz—repite en parodia el caso dramático de Dorotea, su protagonista, y adquiere con ello una dimensión de vida preocupada y azarosa, de cuita. Al desdoblarse, ese *caso* o novela toma bulto con la distancia, se hace convincente como no lo sería en el simple discurso de un relato, un poco a la manera como la sombra destaca el trazado de la figura sobre el papel. Este ejemplo: un *grotesco* que (*a*) actúa sobre la vida cotidiana, sirviendo a sus fines—se trata de recoger a un loco descarriado—, (*b*) y que para ello engrana en el orden de altas significaciones espirituales realizadas en la esfera quijotesca, pero que (*c*) es también *reprise* en *tempo* de parodia de un acongojado destino humano, este ejemplo—y muchos por el estilo hubieran podido elegirse—instruye bien acerca del arte de la composición en el *Quijote,* disuadiendo de la vulgar idea que considera artificiosamente injertas en la obra, y como accesorias, las diferentes piezas narrativas que sin dificultad consienten ser desglosadas de su texto. Es el mismo arte jugado en la presentación y manejo de los personajes centrales, a quienes se contempla desde las más diversas perspectivas, y cuya realidad resulta puesta de relieve mediante los cambiantes enfoques. Si recordamos que, ya en marcha las aventuras de don Quijote, éstas son remitidas a la traducción de un manuscrito arábigo, dudoso a veces, interrumpido en un punto; y que la lucha con el Vizcaíno se corta para reaparecer inmovilizada en una estampa con epígrafe al pie (nunca las audacias de la técnica cinematográfica han alcanzado tan sencilla maestría), estampa a partir de la cual volverá a reanudarse el

40

movimiento, ha de ser difícil que aceptemos ingenuamente las perplejidades del propio autor acerca del acierto o desacierto de haber incluido *El curioso impertinente* en el *Quijote* de 1605, cuando en el de 1615 discurre sobre este problema literario. Lo que hace entonces no es más que asomarnos a su creación por un nuevo ángulo, cosa que desde el comienzo ha venido haciendo incalculablemente, y con ello agregar todavía un pequeño toque destinado a desprender la figura del héroe de todo marco literario; pues al multiplicarse los enfoques sobre su realidad, ésta adquiere la evidencia de lo sustantivo.

La insistencia con que Cervantes aplica esta técnica no deja lugar a dudas acerca del valor de utilidad que le confería—aparte, claro está, su intrínseca eficacia estética—en relación con el designio de erigir, mediante recursos de pura inventiva literaria, una criatura poética de novedad sin precedentes.

Apenas se hallará quien le regatee a Cervantes la consideración de creador de la novela moderna, y aun suele afirmarse que, en el supuesto de que el *Quijote* nunca hubiese sido escrito, por sí solas bastarían las *Novelas ejemplares* a garantizarle ese título que aquella obra maestra hace indisputable. En algún aspecto, hasta pudieran las novelas significar más para la creación del género que el propio *Quijote,* parodia éste de poema heroico donde un protagonista cumple hazañas sucesivas y diversas. La serie de sus aventuras, en efecto, responde al esquema épico tradicional, si bien la inflexión burlesca del libro las hace, no ya irrelevantes, sino objetivamente irrisorias, de manera que, en vez de iluminar el valor del protagonista que las cumple, le ponen en evidencia y nos lo presentan a un agrio contraluz. Claro está que ahí la parodia es tan sólo plano superficial de una obra inmensamente densa y profunda, y el inveterado esquema formal viene a servir de guía a una doble progresión dinámica mediante la cual los dos personajes centrales, don Quijote y Sancho, se realizan con los caracteres de una modernidad plenaria y definitiva, nunca hasta entonces lograda en la historia literaria: como vidas en proceso de autoconsumación. Este logro, en vista del cual don Quijote pasa a erigirse en arquetipo de toda novela, es resultado accesorio de aquella esencial intención que proyecta la figura del protagonista hacia la esfera de las altas significaciones míticas, y que, al exceder el campo de lo novelesco-genérico recién creado como punto de partida, habría de conquistar para esta obra un lugar aparte, sustraído de antemano a los azares de cualquier valoración crítica. Dentro de las condiciones histórico-culturales en que debía cumplirse esa intención mitificadora hubo de aplicar un tratamiento técnico-literario capaz de hacer del protagonista, al mismo tiempo que héroe de leyenda, personaje viviente de individualísima concreción, a saber: el hidalgo Alonso Quijano, vecino nuestro, cuya locura le mueve a hacerse caballero andante, sentirse don Quijote, y para quien las peripecias sucesivas serán otras tantas integraciones de vivencia, momentos a través de los cuales se irá cuajando su vida hasta quedar clausurada y fija en la hora misma de su muerte. Y así, la trascendental operación de inventar el Quijote como criatura mítica dentro de las condiciones del mundo moderno y ligada a ellas en lo más íntimo, dejaría—remanente de la técnica puesta en juego—un nuevo modo de abordar poéticamente el tema de la existencia humana: enfocando el orbe de los valores universales desde la perspectiva del sujeto, entendido éste no cual punto firme e inmutable, sino, en cuanto tal sujeto, cambiante, diverso y, por tanto, susceptible de percibir aquellos valores eternos en varias y alteradas constelaciones. A raíz de un cambio tan estupendo en el foco del interés estético, por el que la novela moderna se define con categoría de género literario, el *Quijote* se convirtió no sólo en la primera novela, sino en paradigma de toda novela.

Ahora bien, su doble primacía—en el tiempo y en la perfección—fue lograda en el empeño por alcanzar la expresión de valores espirituales extraliterarios, en el impulso por apoderarse de significaciones muy primarias, muy elementales, muy frescas, previas todavía a cualquier discriminación estética. Sólo que, intentada la empresa en plena floración de una alta cultura, muy madura y cerrada, no podía quien la acomtiera hacerlo en otras vías ni echar mano sino de los elementos que ella le proporcionaba. Por lo pronto, tenía que operar en el terreno de la fabulación literaria; había de ser un escritor—nada más que un escritor, sujeto a las limitaciones de su oficio—quien, dentro del cuerpo de la tradición literaria y atenido a sus peculiares recursos, tantearía nuevas formas, nuevas invenciones, y que, al dar con ellas, modificaría a fondo, aunque sin destruirla, la dicha tradición. Por mucho que el mito quijotesco haya actuado de las más diversas y a veces más insospechadas maneras sobre todos los aspectos de la vida común, y hasta haya prestado base a una especie espuria y delirante de nuevo culto, pertenece sustancialmente al campo de las bellas letras: con recursos literarios fue erigido, y de índole literaria han sido sus efectos directos y capitales.

Si ahora inquirimos cuáles son los elementos puestos en juego por Cervantes para esa creación de trascendencia suma cumplida sobre el viejo esquema del poema heroico, encontraremos no ser otros sino aquellos mismos que, fuera del libro *Don Quijote de la Mancha,* se nos dan agrupados en las *Novelas ejemplares.* Por lo pronto, en el texto del *Quijote* se entrelazan varias piezas de corte análogo al de las *Novelas,* y para nadie sería inconcebible en principio que cualquiera de estas últimas hubiese entrado eventualmente a componer su trama. Los personajes de las *Novelas ejemplares* pertenecen al mismo mundo que los del *Quijote:* Ginesillo de Pasamonte hubiera podido comparecer sin extrañeza en el patio de Monipodio con las mozas de partido que don Quijote encontró a la puerta de la venta; las dos doncellas hubieran podido, a su vez, ser amigas de Luscinda, de Dorotea, y tropezar durante su viaje con la banda de Roque Guinart; el amante liberal, encontrarse con el capitán cautivo, y el perro Cipión, conversar con Rocinante... Pues esos que, dentro del *Quijote,* son elementos utilizados en la tarea de levantar su mito, de cuya obra resultó creada al mismo tiempo la novela moderna, se pretende hubieran bastado ya para acreditarle este último mérito a Cervantes, tomados como piezas autónomas. ¿Qué hay en las *Novelas ejemplares* que justifique esta admitida opinión? Se trata de narraciones relativamente breves, no desprovistas de antecedentes diversos en la literatura castellana, y sobre todo en la italiana, tanto en cuanto se refiere a su tema como a su composición. Y, por otra parte, las diferencias que las separan entre sí resultan lo bastante marcadas como para permitirnos distinguir en ellas varias direcciones de tanteo. Parece evidente que ha de ser la actitud frente a la vida, de la que son expresión, lo que les presta importancia crucial en la historia de la literatura. Aquellos antecedentes que se les señalan y pueden señalárseles sirven, desde luego, para insertarlas dentro de una tradición; pero también para permitirnos apreciar, en el contraste con ellos, la novedad que comportan, y a que responde su aludido carácter de ensayo y experimento, delatado en la divergencia de sus direcciones.

Hay que insistir con toda energía—frente a la vieja tesis del Cervantes *ingenio lego* o *genio inconsciente*— sobre el hecho notorio de que, en su caso, nos hallamos ante una de las conciencias literarias más despiertas, más inquietas, más sobre aviso, de todas las épocas. El dramático buceo del escritor en las cuestiones de su oficio y del poeta en el sentido y valor de la actividad poética llega a atosigarlo. ¿No está acaso lleno el *Quijote* de tales preocupaciones, sobre las que se vuelve una y otra vez desde ángulos distintos? Por lo mismo que percibía en toda su profundidad la crisis histórico-cultural a que daría expresión mediante el mito quijotesco, captaba también hasta el fondo la problematicidad de la creación literaria; y así, toda su producción, desde el principio hasta el final, desde la *Galatea* hasta el *Persiles*, tiene el carácter de experimentación y tanteo. Ello explica el tan discutido caso de este último libro, sobre cuya redacción juvenil debió de trabajar en etapas diversas de su vida, y acerca de cuyo acierto fundamental o de orientación tuvo dudas hasta el postrer instante de ella; y también, el que siempre tuviese en las mientes redactar la segunda parte de la *Galatea,* y el que—como parece probable—pensase alguna vez en ensayar la novela picaresca con Ginesillo de Pasamonte por protagonista... Las *Novelas ejemplares* constituyen a su vez un campo de exploración literaria; pero ahora, como en el *Quijote*—sobre todo en su primera parte—, hacia caminos expeditos y felices. Si el *Persiles* tocaba el límite de la perfección de un ámbito espiritual de fugaz esplendor (dentro del cual disfrutaría la obra de un justo auge), las *Novelas ejemplares* abrieron, juntas con el *Quijote,* una perspectiva de incomparable amplitud; aquella en que habría de desplegarse el género literario predominante a lo largo de toda la Edad Moderna: la novela.

En seguida percibiremos la sustancial modernidad de esas piezas, que en sí mismas pudieran parecernos ajenas a nuestro mundo actual, si las comparamos con las narraciones insertas, a imitación del auténtico, en el *Quijote* apócrifo. El autor de éste, hombre—a no dudarlo—bastante más joven que Cervantes—sin lo que no sería verosímil le echase en cara su vejez—, toma de su modelo la idea de interpolar en la historia del protagonista esos dos relatos; pero no acierta a descubrir la función esencial que en la estructura de la obra original estaba reservada a tales interpolaciones, se le escapan las sutiles correspondencias que ligan la novela de *El curioso impertinente* con los casos de quienes asisten a su lectura y de quienes concurren, acabada ésta, de todas esas *vidas,* con la figura de don Quijote; y en definitiva, marra su meta. Pese al positivo talento literario de Avellaneda y al colorido de su imaginación, las dos narraciones del *Quijote* apócrifo, aun cuando contemporáneas en su ambientación, son arcaizantes en su médula. Aquella atmósfera de libertad adolorida y problemática que rodea a las novelas cervantinas, pobladas de seres que viven plenamente, desde el centro de cada individualidad, su propio azaroso e incalculable destino, se ha disipado por completo en la concepción y desarrollo de estos dos relatos, empeñados en ceñirse a la tradición medieval que se pretendía restaurar en España. Presentados uno a continuación del otro con una inserción técnica rudimentaria dentro del curso de las aventuras quijotiles, ambos cuentos resultan complementarios (ya sus respectivos títulos, "del rico desesperado" y "de los felices amantes", lo declaran), como estampas destinadas a ilustrar una doctrina acerca de la conducta, que no es otra sino la doctrina eclesiástica de la Edad Media: el primero de ellos, instruyendo acerca de las consecuencias desastrosas del abandono de la vida monacal, aun para el novicio no ligado mediante votos, y de las fatales asechanzas de la vida seglar; el segundo, destacando el poder salvador de la devoción a la Virgen con el ejemplo de un "milagro de Nuestra Señora" en nueva versión. Pertenecen, pues, a la literatura edificante, por mucho que a un lector de hoy pueda chocarle la crudeza de sus escenas; se encuentra ahí la tentación por el demonio, el pecado y la condenación—el pozo al que se arroja de cabeza el rico desesperado no es, ni más ni menos, sino la boca del infierno—, o, alternativamente, la salvación por milagro especial de la Virgen; es decir, concepciones religiosas medievales transvasadas a un escenario moderno.

¡Qué diferencia con las novelas de Cervantes! Sin salirse un punto del catolicismo, resplandece en ellas un espíritu moderno, humanista, erasmiano, una actitud anterior a la Contrarreforma, aunque recortada, doblada y, con ello, artísticamente enriquecida por las cautelas a que obligaba ésta. Sus personajes están incluidos, sin duda alguna, dentro del orden de la ortodoxia religiosa; pero, encuadrados en el retablo teológico, son fuerzas naturales las que los agitan, conmueven y retuercen. El motivo de la recta conducta, del pecado y de su expiación, ocupa siempre el centro, pero jamás interviene el elemento sobrenatural; el castigo viene—sin que tampoco se establezcan a él excepciones graciosas—, no como resultado de la voluntad divina en su manifestación concreta, sino de una justicia inmanente que, dentro del orden natural, liga la conducta libre del hombre a sus forzosas consecuencias. Con esto, el concepto mismo de pecado sufre una sutil modificación: ya no se da como una caída bajo el tirón de tentaciones demoníacas, sino como una forma del error. Si se reconoce la eficacia de la voluntad divina, es en cuanto soporte del orden natural del mundo, que se considera inviolable. La novela de *El curioso impertinente* suministra un buen ejemplo de ello: comparemos el fin de su protagonista con el de Monsieur Japelin, "el rico desesperado"; la cerrada lógica con que Anselmo acepta la pena correspondiente a su insensatez, ofrece, en la narración de escenario italiano pretérito, un limpio esquema de esa concepción inmanentista, en contraste con las fuerzas ultraterrenas que desencadenan la catástrofe en el episodio del *Quijote* apócrifo. El ejemplo resulta tanto más elocuente cuanto que la culpa de Anselmo no es de aquellas que dimanan de un ánimo torpe o un corazón torcido: es un error de conducta, un error quijotesco en cierto modo, próximo a todos los demás errores del juicio, que, en Cervantes, comportan siempre su propia sanción, como si para él no fuese el pecado otra cosa que una particular especie de error. En el orden inviolable de la Naturaleza, la voluntad divina se identifica con la norma: nos encontramos, pues, de lleno dentro de una concepción moderna del universo, sin que por eso se haya hecho abandono de las convicciones cristianas. Sólo que ahora se trata ya de un cristianismo humanista, secularizado, donde el centro de la atención se ha desplazado hacia la existencia terrenal.

Como una verdadera fuerza de la Naturaleza, a la que—por cuanto tiene de divina—se le debe acatamiento, actúa en la obra de Cervantes un Eros de linaje platónico que ya se había mostrado vigorosamente, aunque todavía ceñido su impulso renacentista por limitaciones medievales, en *La Celestina.* Legitimado, cristianizado, no por ello deja ese Eros de tener el arrebato pagano de sus orígenes; fuerza incontrastable y ciega que introduce un elemento perturbador en la rigurosa ordenación teológica del mundo, llevando a los seres hacia soluciones de bendita armonía o de desarmonía trágica. Este Eros es uno de los pivotes de la compleja imaginación cervantesca. Azotada por el vendaval erótico, descubrimos en el ámbito de su creación una humanidad presa de doloroso entusiasmo, que sobre los rumores agrios y descompasados de la realidad cotidiana deja oír maravilloso concierto de quejumbrosas voces, con los acentos de la más tierna y apasionada emoción, sobre las que, rompiendo su delicada trama, sobresaldrá, grave, sobrehumana, la voz de don Quijote.

Quien se proponga ahora considerar el proceso de creación de esta prodigiosa figura literaria, hará bien en detenerse, ante todo, a medir el alcance del siguiente hecho: para el lector actual, el protagonista del *Quijote* —o, mejor dicho, la pareja protagonista—posee una existencia anterior al texto mismo. Don Quijote y Sancho constituyen ante él, en efecto, dos presencias inmediatas, dos entes incluidos en su esfera de representaciones, dos seres ficticios de quienes ha oído hablar antes que hubiera pensado siquiera en ponerse a leer su historia, dos hombres cuya imagen ha visto reproducida, acá y allá, muchas veces, cuyo carácter le es familiar, y algunos de cuyos hechos le han sido referidos o conoce como proverbiales. Pero si esas figuras centrales le están dadas como una pura evidencia fuera de las páginas del libro, la lectura de éste le llevará a comprobar, en cambio, que el ámbito dentro del cual se encuentran aquéllas emplazadas es ya tan ajeno a sus experiencias cotidianas como para antojársele convencional y artificioso: el mundo cervantino se halla desvanecido en gran parte, y el lector actual debe buscarlo a través de los caminos, si no del arqueólogo o del erudito, cuando menos, del gustador refinado, provisto de cierta formación histórica y literaria, en contraste con aquellos sus protagonistas que viven en plenitud, siguen operando sobre las generaciones presentes y constituyen todavía un factor espiritual de nuestro mundo de hoy.

Este vivir del personaje literario con independencia del texto donde fuera plasmado dista mucho de ser cosa excepcional. No sólo don Quijote y Sancho, sino todas las grandes figuras producidas por la poesía—y, junto a ellas, otras ficciones efímeras, fruto de artes menores—, gozan de semejante sustantividad, habiendo ingresado en el campo de las representaciones comunes a partir de los textos de origen. La Celestina, Tartufo, Babbit, son nombres que funcionan en el lenguaje corriente como fórmulas caracterizadoras cuyo significado capta sin dificultad incluso la gran multitud que jamás se ha asomado ni piensa asomarse a las obras literarias donde los correspondientes prototipos se encuentran diseñados. Mas, por lo general, éstas no hicieron sino ofrecer en feliz concreción unos rasgos de carácter pertenecientes a la común experiencia de humanidad, y que ahora encuentran ahí su cifra definitiva. Suelen contar con una serie de precedentes en la historia de la literatura (la Trotaconventos del Arcipreste para la Celestina, y para ambas el *Liber Pamphili*), o cuando menos, con antecedentes folklóricos que el autor maneja, enriquece y perfecciona hasta modelar su propio dechado.

Ahora bien, don Quijote y Sancho no son *caracteres* en un sentido genérico y universal-humano. Su carácter respectivo es absolutamente singular, originalísimo; y frente a él lo que se entiende por quijotismo o sanchopancismo no pasa de ser abstracciones que, al desviarse de su personificación literaria, la deforman y falsean. Pues la empresa cumplida con tal personificación no se detuvo en las estructuras del alma, sino que tendió a fijar significados espirituales; ni su hazaña se redujo a presentar a un determinado carácter, sino que erigió un mito. Por virtud de esas sus intenciones y realizaciones, el *Quijote* se encuentra en el plano de la epopeya homérica, el drama shakespeariano, Fausto y don Juan.

Mas todos estos héroes poéticos, cargados de una significación trascendente, fueron elaborados—lo mismo que aquellos otros caracteres y tipos literarios— a base de elementos que estaban ya ahí, a la disposición del poeta que debía imprimirles con su genio una conformación definitiva. Tanto los héroes de Homero como los de Shakespeare, tanto don Juan como Fausto, existían de antemano; pertenecían a la tradición religiosa, a la historia, a la leyenda, al folklore, incluso a la propia literatura, y contaban con una elaboración que la crítica ha conseguido fijar en algún caso con precisión satisfactoria. Hasta llegar a la versión goethiana, el doctor Fausto había pasado ya por conocidos avatares, y don Juan (recordemos tan sólo, en punto a popularidad, el de Zorrilla, y en punto a novedad *L'Homme et ses fantômes,* de Lenormand) no ha dejado de sufrirlos aún después que Tirso de Molina cumpliera la original acuñación poética del personaje. De este modo, tanto el creador respectivo como su público, contaron desde el comienzo con un punto de referencia externo, sea en la literatura, sea en otros sectores de la vida cultural, que —sin perjuicio de la cerrada unidad estética de la obra— les ayudase a construir el mito en vías de arte y a percibir el sentido transcendente alojado en esa construcción.

En cambio, cuando por vez primera aparece el *Quijote,* ignora el mundo la posible existencia de un tal héroe. Y el repaso de las actitudes críticas asumidas frente a su creación por las sucesivas generaciones nos enseña que sólo a lo largo de tres siglos alcanzaría a desentrañarse su sentido más profundo, por mucho que éste fuera presentido ya, y en forma poderosa, aun cuando confusa, desde el punto inicial. El lector de aquel nuevo libro que en 1605 publicaba Miguel de Cervantes debió de enfrentarse con una criatura de ficción inaudita y nunca vista, para cuyo entendimiento no podía asirse a precedente alguno. Tenía, pues, que abordarla sin otros recursos que los ofrecidos por el autor en el texto mismo, fuera del cual no había punto de referencia capaz de prestarle auxilio. Ninguna alusión, implicación ninguna podían servirle de estribo para ascender hasta la esencia poética que se le revelaba, porque también el autor careció de toda apoyatura externa al comunicársela: no más que de los prodigiosos artificios de su ingenio pudo valerse en el empeño... Ése es el hecho primordial que deberá tener en cuenta quien estudie el proceso de creación del *Quijote*: la perspectiva del lector que hoy se aboca al libro es diametralmente opuesta a aquella desde que debió de abordarlo quien leyera su edición original, y con la que su autor necesitó contar al componerlo.

Si para nosotros don Quijote y Sancho son entes familiares, las figuras accesorias que los acompañan y se relacionan con ellos, y el escenario donde se mueven, están ya lejos de nuestra propia existencia. Se trata de un mundo histórico casi esfumado, al que sólo la lectura nos presta acceso; de unas figuras pertenecientes a complejos sociales casi por completo disueltos, y cuyos problemas prácticos no son los que ahora nos angustian o preocupan, aunque más de una vez nos salten a la vista analogías. Por eso nos parecen personajes *novelescos*: curiosos, sorprendentes, pintorescos, vistosos, como las ropas de que andan vestidos, y su mundo es para nosotros convencional. Tomemos como ejemplo—y luego hemos de ver que no es un ejemplo cualquiera—la historia del cautivo de Argel: ese relato, con su colorido, su curso anecdótico y sus implicaciones ideológicas, se encuentra tan distante casi de nuestro mundo actual como los cuentos de las *Mil y una noches*. Y, sin embargo, nos consta que está elaborado con materiales de la personal vivencia de Cervantes, cuyo cautiverio—una aventura nada excepcional en su tiempo—pudiera parangonarse con la no menos extendida experiencia de los prisioneros de guerra en nuestro siglo. De igual manera, el episodio del morisco Ricote, que resulta de un pintoresquismo muy novelesco para el lector actual, alude a situaciones tan inmediatas y frecuentes por entonces como lo son en nuestros días las del deportado o del refugiado político. Pero hace falta que ese lector sea capaz de realizar imaginativamente la transposición de términos históricos para que aquellos conmovedores relatos dejen de operar sobre él como estímulos de una vaga curiosidad y recuperen la plenitud de su eficacia tornándose jugosos, vivaces, genuinos, apasionantes.

Lo que se dice de personajes y circunstancias ligados a acontecimientos históricos vale también para aquellos otros que, sin tales referencias, aparecen en un encuadre social no menos pretérito y decaído: esos estudiantes, clérigos, licenciados y bachilleres, esos soldados, esos caballeros, esos duques, esas damas y esas dueñas, sólo en función de don Quijote y Sancho tienen existencia hoy; están prendidos a su acendrado ser, son parásitos suyos. Bien entendido que con esto no se niega una propia sustancia humana a su configuración artística ni quiere decirse que sean meros fantoches inanes; muy por el contrario, una fuerte autenticidad late bajo su contingencia histórico-social y rezuma de las formas ya periclitadas; pero, al haberse hecho éstas obsoletas, faltan los puentes para la comunicación con el lector ingenuo, que apenas si puede *entender* directamente la conducta de otras criaturas cervantinas que los simples rústicos en su elemental modo de existencia. Es la presencia de don Quijote y Sancho lo que vuelve a colmar de vida el añejo cuadro, prestándole intensísima iluminación.

Pues bien: todo ese abigarrado mundo histórico en el que debemos penetrar llevados hacia el pretérito por las dos figuras perennes era, al tiempo de escribirse el libro, la peana de inmediatas evidencias sobre que se levantarían sus increíbles siluetas: el hidalgo aldeano y el labrador necio, que tanto hicieron reír con su común locura a España entera, tenían que ganar verosimilitud para su nunca visto perfil, proyectándolo sobre el fondo realista de unas referencias sociales muy convincentes, tangibles, comparables, de común experiencia... La inestabilidad de lo histórico ha convertido ya en convencional y artificioso lo que ahí se daba como realidad cotidiana. El paso del tiempo, al descoyuntar, alterar y transformar el orden de esa realidad, fue desplazando cada vez más a los personajes secundarios, hasta expulsarlos por completo, convertidos en pura fantasmagoría, del campo a que se extienden las posibles vivencias del lector; mientras que la inmarcesible pareja de caballero y escudero afianzaba su existencia como entidad poética dentro de la esfera de las representaciones comunes. Con esto llegó a invertirse—según queda dicho—la perspectiva del lector: aquello que para el de 1605 era extraño y estrambótico—a saber, don Quijote mismo, con su complemento, Sancho—, le resulta familiar al de hoy; lo que para éste es ya ajeno—el mundo cervantesco—, era para aquél inmediato y cotidiano.

Así se explica que, en los primeros años del presente siglo, se revolviera Unamuno contra ese mundo cervantesco, y contra el propio Cervantes, en una rabiosa, integral afirmación del Quijote, de la esencia poética, frente al accidente en que se manifiesta. "Mi fe en don Quijote—escribe Unamuno en su *Vida de Don Quijote y Sancho*—me enseña que tal fue su íntimo sentimiento, y si no nos lo revela Cervantes es porque no estaba capacitado para penetrar en él. No por haber sido su evangelista hemos de suponer fuera quien más adentró en su espíritu". Pero antes había escrito que "no tuvo otro remedio sino narrárnoslo cual y como sucedió, aun sin alcanzársele todo su alcance..." Esta actitud de Unamuno debe ser tenida por el paroxismo de actitudes ya viejas, que se habían hecho en algún modo tradicionales. Su defensa de don Quijote contra Cervantes enciende y aclara, al exagerarla, aquella repetida inepcia del *Cervantes, ingenio lego,* convirtiendo en acutísima paradoja lo que no era sino torpe sandez, para con ella mostrarnos su verdad posible. La vulgarizada tesis según la cual el autor del *Quijote* habría sido un pobre hombre, genio inconsciente sin capacidad para percatarse de la especie de criatura que engendraba, se funda —a no dudarlo—en la intuición del significado trascendente alojado en la obra de Cervantes. Oscuramente, se percibió siempre ahí la presencia de un algo descomunal, secreto, insondable, que falta en la gran turbamulta de las figuras inventadas por la imaginación literaria, y que tampoco se encuentra en las demás producciones del propio Cervantes; un algo por cuyo efecto el estrafalario don Quijote adquiere valor de mito, asumiendo una inagotable riqueza de contenido espiritual. Y como lo portentoso suele identificarse con lo sagrado, y como el mito pertenece en verdad a la órbita religiosa, se ha propendido desde el comienzo a adorar en el *Quijote* una especie de misterio—con su culto, sus exégetas, interpretaciones esotéricas, ministros y sectarios—, atribuyendo a su creación—o, mejor, revelación—circunstancias de milagro, entre ellas la que da esa revelación por cumplida a través de un *inocente,* ajeno al valor sublime que le era confiado. La leyenda del *Cervantes, ingenio lego* casa, pues, muy bien con el éxtasis ante su obra, y se complementa con aquella otra que le atribuye un alma cándida, arca de todas las bondades.

Sólo que ahora, en Unamuno, la chifladura vulgar se eleva a un desvarío en el estilo del "enloquecimiento de pura madurez del espíritu", que enlaza su comprensión del *Quijote* con su visión del problema de España y, en definitiva, con el más acendrado núcleo de su filosofía personal. Lejos ya de la acostumbrada observación que descubre en el *Quijote* el prototipo del carácter español, desdoblado en las personificaciones de don Quijote y Sancho, Unamuno va a interpretarlo y pregonarlo como cifra del ser y destino de España, cuyo complejo cultural significa, precisamente, una radical forma de concebir el mundo y de ser hombre; es decir, una manifestación histórica de la eternidad, o acaso, un modo de enfrentarse, en nombre de la eternidad, con la contingencia histórica. Que fuera Unamuno—la mente más poderosa de su generación—quien hubiese de penetrar hasta el fondo de ese misterio, zambulléndose en el mito quijotesco, no es sino muy explicable, pues en esa generación, en la llamada generación del 98, se desata por fin el nudo problemático de España, permitiendo—puesto que una entelequia histórica sólo en vía de postrimerías culturales puede alcanzarse—que sean escudriñadas las secretas claves de su destino.

El nudo que ahí se desata, y quizá para una definitiva disolución, es el que la Contrarreforma había anudado, apretando a la realidad española en una existencia contradictoria, existencia en el tiempo, pero bajo vocación de eternidad; por tanto, una existencia que se niega de continuo a sí propia, existencia desentendida del tiempo y del espacio, hacia una esencia desencarnada de sustancia histórica; una existencia clasurada en pura agonía interna, en perpetua guerra intestina—"la guerra civil es la forma del vivir español", dice Unamuno—, en un heroísmo que siempre se resuelve en grotescos descalabros y que está destinado a ellos, por cuanto se obstina en superar la berroqueña realidad del hecho. Este modo de ser, cuya grandeza se alza desde el seno mismo de la más desahuciada impotencia, es lo que expresa el *Quijote*. Y creo que sea un caso único en el despliegue todo del espíritu, el de este héroe mítico acuñado con los materiales de una particular situación histórica, porque único es el caso de que la existencia histórica asuma el sentido de negarse a sí propia en virtud de lo absoluto. El *Quijote* alcanza la universalidad, no desde el plano de lo humano-general, sino a partir de una determinada y singularísima estructura político-social dada en el tiempo y en el espacio. Y el toque feliz del genio cervantino estuvo en captar y acuñar el raro destino de esa comunidad, España, en el punto cardinal, en el preciso momento en que ello era posible, sin dejar que se le escapara la fugaz coyuntura. Tan asombrosa clarividencia es lo que ha hecho a las gentes pensar en una inconsciente genialidad... Por supuesto, que sería ridículo atribuir a Cervantes algo así como una fuerza adivinatoria, o siquiera una comprensión racional, cabal y ordenada, de la situación histórica a la que estaba dando expresión artística en su obra. Y es claro que él no podía *ver* su invención literaria como podemos verla nosotros hoy, a la luz de la historia consumada, ni proponerse someter a elaboración poética lo que todavía no había acontecido, por más que estuviera implícito, como probabilidad al menos, en el complejo cultural cuyo sentido había captado el poeta con tan certero vigor. Hasta cabe afirmar que, desde nuestra perspectiva, nosotros estamos en condiciones de entender el *Quijote* en conexiones de detalle sustraídas a su propio autor—y éste sería el solo alcance legítimo de la tesis *Cervantes, inconsciente*—; pero es indudable que él tenía plena consciencia del sentido de su obra; consciencia profunda y entrañada, ya que ese sentido, siendo el de la situación cultural de conjunto, el de la conexión histórica, era también el de su propia vida individual. Pues si a sus dotes creadoras y a su gracia literaria le fue concedido apresar el momento del viraje decisivo que había de permitirle forjar un héroe de tan colosales proyecciones, ello se debió a la justa coincidencia del punto crítico en el curso de su trayectoria vital, con el cambio de signo en la orientación del destino colectivo. La fecha de su nacimiento le habilitaba como representante de la generación que sería gozne del significativo cambio; los azares de su suerte personal le prestaron las condiciones para percibirlo con dolorosa acuidad, y su talento de poeta le proporcionó la capacidad necesaria para plasmar el contenido de esa percepción en una obra artística de envergadura adecuada.

Cuando Cervantes viene al mundo, están incubándose ya todos los elementos de la Contrarreforma: el Concilio de Trento, inaugurado dos años antes de su nacimiento, sería clausurado cuando él contara ya quince años de edad, y sólo dos más tarde se introducirían en España sus cánones; la Compañía de Jesús organizaba y extendía su poder... Pero aún no había abdicado el emperador Carlos V, ni todavía el pensamiento cristiano tenía que constreñirse y disimularse hasta casi desaparecer por recelo de la suspicaz persecución. Una tónica de epopeya envuelve, sin duda, a su adolescencia, y el entusiasmo, un tanto excesivo, hacia la *Araucana* de que testimonia el *Quijote* es probablemente reflejo tardío de impresiones juveniles: Cervantes debió de conocer el poema a raíz de ser publicado, en 1569, poco antes de emprender su viaje a Italia. En todo caso—y esto es lo que más importa—, el acontecimiento magno que hubo de sellar su espíritu con un cuño indeleble fue la batalla de Lepanto—como "la más alta ocasión que vieron los siglos pasados, los presentes, ni esperan ver los venideros" la pondera—, donde él mismo participó bajo el mando de un general de su misma edad—esto es, un compañero de generación: don Juan de Austria tenía sólo dos años más que Cervantes—cuando no contaba éste sino veinticuatro. Al regresar del cautiverio, tras un decenio ausente de la patria, la atmósfera de epopeya se habrá disipado, dando lugar a una sensación opresiva. Líricamente se queja Fray Luis, cautivo en la cárcel de la Inquisición, mientras Cervantes lo estaba en África: "Por más que se conjuren / el odio y el poder y el falso engaño ... " Ya se anuncian los tonos elegíacos de Quevedo: "Miré los muros de la patria mía, / si un tiempo fuertes, ya desmoronados, / de la carrera de la edad cansados ... " La mutación se ha operado en un abrir y cerrar de ojos, como esas cerrazones súbitas del cielo que a veces describe Cervantes en sus novelas: tras el sueño del cautiverio, el soldado de Lepanto, que vuelve lleno de proyectos grandiosos, tiene que emplearse como agente de los acopios en especie para la Armada Invencible y, de seguro, palpar los entresijos de inmoralidad, torpeza y desbarajuste que serían prólogo al fracaso de esa expedición gobernada por la impericia. Es interesante recoger algunas reacciones del poeta frente a ese fracaso. Amargado, "Triunfe el pirata, pues, agora y haga / júbilos y fiestas ... ", canta al confirmarse las nuevas de la derrota, en versos [6] que pueden valer como el ejemplo de la reacción oficial, desconcertada frente al terrible contratiempo, y pensando en un futuro desquite. Sin embargo, la experiencia estaba hecha, y para Cervan-

[6] "Canción de la pérdida de la Armada, que fue a Inglaterra", A la Armada Invencible, II.

tes tendría el carácter de vivencia decisiva, clausurando, a la edad de cuarenta años, las expectativas heroicas de Lepanto. Ya comienza a cuajar don Quijote, caballero, "más que de hierro, de valor armado", sólo por el azar de fuerzas ciegas e inescrutables designios sobrehumanos vencido, pero invencible por la fe y la razón, como aquellos barcos que Felipe II no había enviado a luchar contra las tempestades. ("Pues no los vuelve la contraria diestra / Vuélveles la borrasca incontrastable / Del viento, mar, y el cielo que consiente ... ", afirmará Cervantes en los mismos versos, aduciendo en serio la misma argumentación que, humorísticamente, pero con tanta mayor profundidad, fundaría la actitud heroico-grotesca de don Quijote.)

Así, la conjunción de la suerte individual del poeta con el destino de la comunidad española le habilitó para inventar esa criatura mítica de factura absolutamente nueva, pero cuya revelación había de tener una fulminante eficacia. La nueva esencia poética concretada en la pareja de don Quijote y Sancho impuso, en efecto, su evidencia desde el primer instante, con impacto tan formidable, que no creo haya caso comparable en cuanto a popularidad inmediata y persistente en toda la historia literaria. Si multitud de otros testimonios [7] no hablaran de ella, la aparición del *Quijote* apócrifo bastaría a acreditarla, y más aún, la segunda parte del legítimo, donde los protagonistas tropiezan a cada paso con su fama.

El texto de 1615 cuenta ya con el conocimiento que

[7] He aquí un ejemplo curioso, entre tantos otros, de la plasticidad con que eran vistos don Quijote y Sancho por la Espa-

el lector tiene de sus protagonistas como entes dotados de existencia autónoma. Y, en verdad, la posición de ese lector de 1615 frente al *Quijote* es esencialmente idéntica a la del lector actual, en contraste con la de aquel que en 1605 comenzara a leer las palabras: "En un lugar de la Mancha ... " Don Quijote existía ahora por sí mismo; Cervantes había operado con pleno éxito la creación de su héroe.

Pero, puesto que para esa creación carecía de toda apoyatura tradicional, será forzoso, si no queremos incurrir en inaceptable milagrería, que acudamos al examen de los recursos técnico-literarios ahí empleados para explicarnos por su vía la eficacísima invención del *Quijote*. Que esos recursos son de un refinamiento y de una complejidad extremos y nunca después superados, parece por lo pronto cosa obvia; tanto como para producir estupefacción el hecho de que haya podido hablarse—según se ha hablado hasta convertirlo en lugar común—del descuido en la composición cervantesca, celebrando en su prosa, a lo sumo, aquella retórica superficial—casi siempre, además, no bien interpretada—, que es hoy dechado común de un ridículo casticismo.

ña de su tiempo: el año 1616 se imprimió en Sevilla un pintoresco soneto de fray Bernardo de Cárdenas en alabanza de la Concepción de la Virgen donde se hace aparecer a la celestial Señora deshaciendo *a coces* la cabeza del demonio. Actores del diálogo son don Quijote y Sancho. También como paladín de la Virgen, y seguido de su escudero, aparece aquel personaje en una paseata organizada por la Universidad sevillana el 26 de enero de 1617.

La obra se plantea—éste es su planteamiento primero y más externa—como una sátira literaria: la sátira de los libros de caballerías. Y ya con eso, se la sitúa de lleno en el plano de una densa actividad cultural en cuanto elemento combativo que entra a polemizar en el campo de los problemas estéticos; actitud e interés espritual que se mantendrán, reafirmándose de mil maneras, a lo largo de todo el libro, en su primera y en su segunda parte.

Pero, en seguida, mediante el artificio de la locura con tanta profundidad empleado por el autor, la sátira nos entrega a un héroe que, inspirado en los ideales góticos, enfrenta al mundo circundante para acreditar paradójicamente su grandeza, su calidad y una virtud sutil que triunfa de él, sucumbiendo a sus embates. ¿Cómo es ese mundo? ¿Cuál su estructura?

Desde las primeras páginas del *Quijote*, el hidalgo trastornado choca, en su quimera caballeresca, con la realidad ambiente; una realidad vulgar, hecha de circunstancias humildes, casi naturales en su elementalidad, tradicionales en todo caso: la casa, la aldea, ama y sobrina, cura y barbero. El mismo carácter tienen todavía los seres y ocasiones sucesivas con que va tropezando en sus aventuras: venteros y mozas de partido, yangüeses, cabreros, aldeanos ricos... Pero, llegado un cierto instante, el héroe ingresa en otro orden de realidades, penetra en otro mundo—aquel al que sirve de obertura el cuento de la pastora Marcela—: el mundo de la alta cultura, constituido por unos ideales de vida muy peculiares, sellados con un muy preciso cuño histórico, y que se interpola entre las alturas sobrehumanas donde se desenvuelve la hazaña espiritual del héroe y el bajo estrato de la existencia cotidiana. Dicho orden de realidades, que sutilizan lo elemental-humano en dirección a formas y actitudes ideales conscientemente elaboradas, integra ese mundo histórico ya decaído, hecho ajeno a nuestra experiencia, al que aludíamos al comienzo, y que en el *Quijote* se superpone al mundo tradicional como un plano más elevado, depurado y estilizado. Sólo por esto se explica que las narraciones intercaladas en el texto, y que en él inician y sostienen el ambiente espiritual de la alta cultura, hayan sido consideradas con tanta frecuencia a la manera de agregados extrínsecos, prescindibles, destinados tan sólo a prestar amenidad al relato principal con el que engarzan. Es una ilusión producida, primero, por ofrecer, en verdad, el acceso a un plano distinto de realidades, que nunca llega a fundirse por completo con el del vivir vulgar o cotidiano, y después, por la relativa autonomía de tales piezas, que están incorporadas al conjunto, según los principios del arte barroco, de manera tal, que, siendo esenciales en él, poseen, no obstante, su propio equilibrio y una especie de vida autónoma.

Así, pues, aunque en rigor sea ilícito contemplar las diversas novelas del *Quijote* como piezas independientes intercaladas, no deja de ser cierto que, cada una de ellas, tiene su propio centro de gravedad, dentro del equilibrio de la obra, y es por eso hasta cierto punto autónoma.

Tal ocurre, de un modo muy especial, con el relato de *El cautivo de Argel*: aunque el protagonista y relator ingrese en la trama general y a la vista del lector establezca relación con los demás personajes y con el propio don Quijote, a diferencia de lo que acontece con los actores de *El curioso impertinente,* bien enmascarados en la novela, la sustantividad artística de la historia del cautivo es innegable. Se trata de una novela escrita en primera persona, y cabe suponer que su autor la redactó con anterioridad a la concepción y redacción del *Quijote.* Éste fue publicado, como se sabe, en 1605, reinando Felipe III. En cambio, cuando el cautivo cuenta su vida y sucesos alude a Felipe II como viviente, al hablar de "don Juan de Austria, hermano natural de nuestro buen rey don Felipe", y presta a la escena una exacta determinación temporal, pues la sitúa en el año de 1589. En efecto, el punto de referencia inicial de sus aventuras es la ida del duque de Alba a Flandes en septiembre de 1567, y dice: "Éste hará veintidós años que salí de casa de mi padre ... " Son, aproximadamente, las fechas del viaje a Italia de Cervantes, quien, como su personaje, participa en la batalla de Lepanto (7 de octubre de 1571), para sufrir después cautiverio. Es bien posible que los años de plazo desde la salida de la casa paterna hasta el regreso hayan sido alargados a veintidós—cosa que, en verdad, no exige, sino más bien excede, la necesidad interna del relato—, a los fines de su inserción en la trama del *Quijote,* y que Cervantes hubiera trazado la primitiva versión de su novela del cautivo en fecha anterior al año 1589, en que ahora finge ponerla en boca de éste. Su tono, heroico sin énfasis, pero también libre de amargura, pese a las crueles experiencias que le dan asunto, su firme entusiasmo, su seria convicción, su carencia de humor, hacen de ella una obra, aunque de mano maestra, juvenil todavía. El acento grave, sostenido, enterizo, y la preocupación objetiva por el curso de los acontecimientos magnos que ahí sirven de marco al destino individual, convierten en mero accidente desgraciado, sin relevancia mayor, las calamidades del protagonista. Es más: la anécdota personal—nervio de la narración—adquiere dentro de esa atmósfera heroica una aterradora impavidez, que prepara el ánimo para afrontar el conflicto en su grandeza de tragedia griega: la hermosa Zoraida debe sacrificar sus sentimientos de piedad y amor filial, tan intensos como son, frente a un deber más alto: se debe a la eterna verdad de la religión, que le ha sido dada a conocer. Y así, deja el África infiel y—deshecha el alma—huye a España con los cristianos, mientras el padre infeliz maldice y suplica desde la "desierta arena". El soplo mismo de la *Numancia*, sin retórica, en una prosa noble, pero simplicísima, lleva aquí la tragedia en su más elevada forma a la experiencia muy inmediata y comprensible de seres humanos, llenos de sangre y vida, que, con escalofriante abnegación, se elevan por encima de su propia naturaleza. "Alá sabe bien que no pude hacer otra cosa de la que he hecho ..., según la prisa que me daba mi alma a poner por obra esta que a mí me parece tan buena como tú, padre amado, la juzgas por mala", explica la hija, cuando su voz ya no puede llegar a los oídos desesperados.

Este colosal conflicto, centro de la espléndida novela, necesitaba trenzar las suertes individuales con las grandes decisiones históricas de la época. ¡Qué contraste con la dolorida, desengañada, humorística textura central del *Quijote*, con su heroísmo grotesco! Y, sin embargo, tal contraste pertenece de manera esencial a la composición del *Quijote*. Sería pueril la idea de que el acoplamiento de la tensa novela del cautivo en la contorsionada estructura del libro no fuera sino muy deliberado y lleno de intenciones profundas. Tanto, que —sin vacilación puede afirmarse— entre todos los episodios que jalonan la carrera de don Quijote y Sancho éste encierra la clave del mito quijotesco. Si la experiencia vital de Cervantes —doblado, encorvado y retorneado en curvas de ironía su heroísmo— se agita con dolor barroco en el *Quijote*, la novela del cautivo, como un claro espejo diminuto en el enorme, complicado marco, nos entrega la imagen recta y limpia y diáfana de aquel heroísmo. No haría falta saber, como sabemos, que los hechos de la bellísima narración han sido configurados con materiales de la personal vivencia del autor para descubrir en su tono de grave sinceridad e ingenuidad viril un reflejo de su actitud previa al desengaño, puesto como testigo junto a la deformación artística correspondiente a él. En términos algo forzados podría decirse que el cautivo es don Quijote joven y cuerdo, actuando todavía en un mundo adecuado a las dimensiones de su ánimo. Sólo que ese mundo no es ya el mismo en 1589, año en que regresa el cautivo a España; no es ya el mundo de Lepanto, sino el de la Armada Invencible; y el cautivo irrumpe en él como un aparecido: viene del pasado, y trae el pasado consigo; reintroduce la juventud de Cervantes en el ámbito de su vejez...

Muchas veces se ha repetido que el *Quijote* expresa la desilusión vital de su autor. Esta obvia interpretación psicológica no por ser correcta aclara el alcance de su creación mítico-literaria. Lo significativo aquí es que el desengaño vital del hombre Miguel de Cervantes corresponde con exactitud a una mutación histórica decisiva, de modo que esta congruencia entre la trayectoria vital del individuo y el curso de la gran comunidad de destino en que su existencia estaba inserta permitió a su genio dar a la personal experiencia proyecciones tan enormes. Y todavía hay que contar ahí como una circunstancia favorable el azar del cautiverio, que interpone una cesura por cuya virtud adquiere violenta plasticidad el contraste entre la coyuntura histórica todavía plenaria de la juventud y la ya decadente de la madurez. El Miguel de Cervantes que participó, siquiera como soldado, en el hecho de Lepanto, y que, cautivo, sueña no en escaparse, sino en sublevar la plaza para el rey de España, vuelve trayendo proyectos de gloria militar para caer en un ambiente sórdido, donde el burocratismo predomina ya sobre la iniciativa heroica, y en el que la vida espiritual debe también cubrirse de cautelas. El cautivo que en el *Quijote* regresa a España, y cuyo relato es un hermosísimo himno mariano, expresión de una fe abierta y combatiente, debía confrontar su actual miseria con la fortuna de su hermano, el Oidor, el burócrata, y acomodar ahora su fe al ambiente receloso de la Contrarreforma. Los que lo escuchaban debieron de pensar que iba a serle difícil readaptarse a su recuperada patria.

Entre tanto, él estaba ahí, en esa venta, frente a su propia criatura—don Quijote—, frente a su imagen deformada por el turbio medio. El héroe español de treinta años atrás se ha descompuesto artísticamente en un pobre hidalgo deschavetado que, por seguir normas de conducta y servir ideales en desacuerdo con el nuevo ambiente social, rueda de descalabro en descalabro. Dentro de la economía del libro, la historia del cautivo cumple, pues, una función de hito, ofreciendo un punto de referencia en el tiempo histórico para la ordenación de su problema capital.

Los diversos elementos que componen la obra se encuentran anudados en su último tercio y verdadero centro de gravedad espiritual, dentro de esa venta donde, por espacio de dos días, concurren los más heterogéneos personajes alrededor de don Quijote, ahilada figura que se alza entre ellos como símbolo encarnado y viviente—con carnadura y vida poética—de la cristalización histórico-cultural o encantamiento de España por la Contrarreforma. La validez de ese símbolo hasta el momento presente, y su inmensa riqueza significativa, no necesitan ser ponderados. Lo que interesa subrayar aquí es que todos los elementos al parecer adventicios—los personajes de los distintos relatos y sus respectivos problemas—constituían, en su transitoriedad histórica, materia indispensable para crear el mito imperecedero del *Quijote*. La propia evidencia del mismo, una vez creado, presta apariencias de mera aposición o añadido a aquello de que, sin embargo, dependía técnicamente, pues, aunque haya debido apoyarse en las referencias a una realidad histórica concretísima, es, en cuanto a su esencia, por completo independiente: la operación creadora del poeta lo ha extraído de la nada, por más que para cumplirla haya debido servirse de tales indispensables materiales y utensilios.

Así es cómo la pareja de don Quijote y Sancho salta inmediatamente del contexto para, con luminosa, deslumbradora evidencia, hacerse proverbial y adquirir una existencia desprendida e incondicionada. No más de ocho años después de publicarse el libro aparecerá el *Quijote* apócrifo, para testimoniar de la más notable aventura literaria que jamás se haya producido: don Quijote había asumido ya una dimensión poética que excede a la propia poesía y, rebasando sus ámbitos, se había erigido en figura mítica. En este breve lapso, ya se había hecho posible tomar esta figura como objeto de nuevas elaboraciones, cual si se tratara de Hércules, del Cid, del doctor Fausto, de una concreción mitológica, de un personaje histórico, del protagonista de una vieja leyenda, de algo, en fin, perteneciente al dominio público. ¿Y quién, que recuerde la insolencia de Avellaneda frente a Cervantes, su contemporáneo, se extrañará de la actitud que adoptará Unamuno a la vuelta de siglos? Aún el segundo *Quijote* del propio Cervantes funciona a su vez respecto de la creación de 1605 en análoga forma que el apócrifo de Avellaneda, por mucho que, en su caso, la identidad de autor preste a ambas partes una concordancia profundísima, que falta—y, curiosamente, más para el carácter de Sancho que para el de don Quijote, como Cervantes confirma—

entre los personajes de la obra auténtica y de la apócrifa. El segundo *Quijote* nos da, en efecto, sin lugar a dudas, el mismo don Quijote y el mismo Sancho que conocíamos; pero se trata no sólo de dos obras independientes entre sí en cuanto a concepción y desarrollo, si bien con unidad de tema y personajes (creados originalmente en la primera; recogidos en la segunda desde una preexistencia), sino de dos obras donde se respira una atmósfera espiritual diferente. En el primer *Quijote* erige su autor un complejo artístico capaz de expresar la deformación sufrida por el terso mundo heroico de su juventud, el desengaño, el juego complejo de realidad y apariencia, la hazaña de la voluntad y la infecundidad última de su esfuerzo, al mismo tiempo que la dignidad absoluta de que está asistido, de manera que la tensión entre estas dos fuerzas—el brazo del caballero y el aspa del molino de viento—cree un drama siempre de nuevo abierto sobre la llanura manchega; en el segundo *Quijote,* este drama deriva hacia los contornos de la farsa, artísticamente más refinada, aunque de menor fuerza poética. Ahora nos vamos a mover en interiores ricos de invención: el grotesco se hace quintaesenciado y toca con frecuencia en lo mágico; hay un predominio resuelto del artificio teatral: carretera de las Cortes de la Muerte, fiesta de las bodas de Camacho, cueva de Montesinos, aventura del rebuzno, tablado de maese Pedro, burlas varias y complicadas en casa de los duques... Hasta que, por fin, don Quijote entra en una ciudad y—¡ lo increíble!—asiste al sarao de unas damas, viéndose obligado a bailar con ellas...

LA TÉCNICA DE LA COMPOSICIÓN
EN CERVANTES

Puede afirmarse como cosa cierta (y sin embargo, la aseveración sorprenderá quizás a algunos lectores) que, aun cuando nunca hubiera escrito el *Quijote,* Cervantes figuraría de todas maneras entre los escritores más importantes del mundo, aquellos pocos a quienes corresponde la primera línea en la historia de la literatura universal. Y hasta cabría decir que, en cierto sentido, esa obra, el *Quijote,* a cuyo título va vinculada la fama de su autor, ha menoscabado por otra parte la consideración que el nombre de Cervantes merece, haciendo sombra con su magnitud enorme al resto de la producción cervantina. Para la multitud del vulgo, él es el autor del *Quijote,* y basta. Este libro acapara toda la atención, absorbe todas las admiraciones. ¿Para qué más? ¿No sería, acaso, demasiado?

Pero imaginemos por un momento que tal libro nunca hubiera llegado a escribirse, o bien que un accidente cualquiera lo hubiese sustraído al conocimiento público. Entonces habría que estudiar la personalidad de Cervantes en cuanto creador de la novela moderna sobre la base que las tituladas *ejemplares* ofrecen. Y por otro lado, tampoco su importancia única en el desarrollo del teatro español sería tan desatendida e ignorada como, injustamente y a pesar de algunos estimables esfuerzos críticos, lo ha venido siendo hasta ahora.

¡Creador de la novela moderna! Después de tres siglos y medio—que ése es el tiempo transcurrido desde la publicación de las *Novelas ejemplares*—, y visto el desarrollo ulterior del arte novelesco, resulta hoy por demás evidente lo que la fabulación cervantina contenía de potencialidad y como mera promesa. Pero es claro que el propio Cervantes tenía conciencia de la innovación fundamental que estaba produciendo con sus relatos. En el prólogo que puso al libro proclama con seguridad no altanera:

A esto se aplicó mi ingenio, por aquí me llevó mi inclinación, y más que me doy a entender (y es así) que yo soy el primero que he novelado en lengua castellana; que las muchas novelas que en ella andan impresas, todas son traducidas de lenguas extranjeras, y éstas son mías propias, no imitadas ni hurtadas: mi ingenio las engendró y las parió mi pluma, y van creciendo en los brazos de la estampa.

Si se considera la latitud con que se empleaba entonces, y lo emplea aquí Cervantes, el concepto de traducción, esta frase equivale a afirmar la originalidad absoluta de su obra novelesca, sosteniendo implícitamente que aporta una nueva manera de abordar la realidad del mundo. Con todo aplomo declara ser el primero que ha novelado en castellano, y que sus novelas no son imitadas, sino originales suyas.

Queriendo en vano emular su arte, intentó Lope de Vega varias novelas, la primera de las cuales, bajo el título de *Las fortunas de Diana*, empieza por vía de prólogo con algunas referencias al arte de novelar, donde puede leerse:

En tiempo menos discreto que el de ahora, aunque de hombres más sabios, llamaban a las novelas cuentos. Estos se sabían de memoria, y nunca, que yo me acuerde, los vi escritos, porque se reducían sus fábulas a una manera de libros que parecían historias y se llamaban en lenguaje puro castellano *caballerías*, como si dijéramos: *hechos grandes de caballeros valerosos*. Fueron en esto los españoles ingeniosísimos, porque en la invención ninguna nación del mundo les ha hecho ventaja, como se ve en tantos *Esplandianes, Febos, Palmerines, Lisuartes, Florambelos, Esferamundos* y el celebrado Amadís, padre de toda esta máquina, que compuso una dama portuguesa; el Boyardo, el Ariosto y otros siguieron este género, si bien en verso; y aunque en España también se intenta, por no dejar de intentarlo todo, también hay libros de novelas, de ellas traducidas de italianos, y de ellas propias, en que no faltó gracia y estilo a Miguel de Cervantes. Confieso que son libros de grande entretenimiento, y que podrían ser ejemplares, como algunas de las historias trágicas del Bandello; pero habían de escribirlos hombres científicos, o por lo menos grandes cortesanos, gente que halla en los desengaños notables sentencias y aforismos.

Cuando Lope de Vega escribe esto, ya Cervantes estaba hacía años bajo tierra. La cita es larga; pero no he querido dejar de hacerla porque revela en la reticencia de sus envueltos giros, junto a una dosis no pequeña de resentimiento envidioso, completa incomprensión del sentido revolucionario implícito en la novelística cervantina. Por lo pronto se le escapa, o deliberadamente ignora, la significación única del *Quijote*, no sólo frente a Palmerines y Amadises, sino también frente a los poemas de Boyardo y Ariosto (aunque no se prive de deslizar una alusión al propio de *La hermosura de Angélica*). Y en cuanto a las *Novelas ejemplares*, poco importa que sus apreciaciones sean cicateras y aviesas; lo más grave es que muestra no haber medido su alcance. El concepto de ejemplaridad según se proclama en su título le desconcierta tanto—aunque con mayor disculpa, confesémoslo—como a algunos críticos modernos a quienes todavía mistifica hoy la ambigüedad con que Cervantes las calificó así.

¿En qué sentido son ejemplares las novelas de Cervantes? Es claro que no lo son en el sentido tradicional de que ofrece muestra excelente, digamos, *El conde Lucanor*, donde la doctrina queda expuesta en forma explícita e inequívoca, quizás porque en esta forma tan neta se encontraba dada en el ánimo de quienes pretendían enseñarla. A Cervantes la realidad del mundo moral se le aparece como problemática, y por eso lo que él nos propone no es una solución, sino el problema mismo, para que, debatiéndonos entre sus términos, tratemos de hallarla con nuestros recursos personales en el foro de nuestra libre intimidad. La conjetura de que el título de *ejemplares* tuviera el propósito de «despistar» parece, pues, ella misma bastante despistada. El propio Cervantes apunta en su *Viaje del Parnaso*: "Yo he abierto en mis *Novelas* un camino / por do la lengua castellana puede / mostrar con propiedad un desatino". Repárese bien: "mostrar con propiedad un desatino"; esto es, evidenciar los efectos lamentables de toda conducta humana que se aparta de lo exigido por la naturaleza racional. Ya en el prólogo citado antes había dicho a su lector que, si no fuera "por no alargar este sujeto, quizás te mostrara el sabroso y honesto fruto que

78

se podría sacar, así de todas [las novelas] juntas como de cada una de por sí". Como puede verse, no se trata de una lección obvia, de una enseñanza patente, en la tradición de los castigos y documentos, de los ejemplos medievales, sino de algo que requiere interpretación, y por cierto una interpretación que se deja al cuidado del lector: él será quien saque o no el fruto sabroso y honesto que del texto puede extraerse. Lo que hace de la novelística cervantina una verdadera creación, y la distingue de cualquier otro novelar de su tiempo, asignándola al futuro, es que constituye un escrutinio de la vida humana en busca de su sentido inmanente, en lugar de referirla a un patrón dado ya desde fuera. Este radicalísimo aunque en apariencia sencillo cambio de enfoque es su descubrimiento más genial, y representa una revolución literaria análoga en su profundidad y alcance a la que cumpliría en seguida Descartes en el campo de la especulación filosófica. Arranca del individuo humano, para desprender de su estudio las pautas de la naturaleza racional donde el orden moral se integra. "Mostrar con propiedad un desatino" es derivar el conocimiento de la ley moral de una observación compasiva de la vida humana asediada y afligida por el error, en lugar de aplicar a éste el juicio que imponen unas normas externamente formuladas. Cervantes contempla al ser humano debatiéndose en la intrincada textura de sus impulsos, motivaciones y consecuencias. Por eso en sus novelas el castigo es inmanente a la culpa, brota de ella misma.

Ahora bien, esas narraciones son muy diversas. A primera vista, ofrecen aspectos muy distintos, cuyas diferencias parecerían de alguna manera invitar a una clasificación, como en efecto la intentó Ortega y Gasset. En sus *Meditaciones del Quijote*—libro primigenio cuyas ideas, a veces meros atisbos que él proponía sin demasiada insistencia por vía de sugestión exploratoria, han dejado huellas profundas para bien y para mal en la crítica subsiguiente—, halla en la colección de Cervantes dos series de composiciones,

sin que sea decir—añade—que no interviene en la una algo del espíritu de la otra. Lo importante es que prevalezca inequívocamente una intención artística distinta en ambas series, que gravite en ellas hacia diversos centros la generación poética. ¿Cómo es posible—se pregunta—introducir dentro de un mismo género *El amante liberal, La española inglesa, La fuerza de la sangre, Las dos doncellas,* de un lado, y *Rinconete* y *El celoso extremeño,* de otro? Marquemos en pocas palabras la diferencia: en la primera serie nos son referidos casos de amor y fortuna.

Todo lo que en estas novelas se nos cuenta—resume luego—es inverosímil, y el interés que su lectura nos proporciona nace de su inverosimilitud misma... Cosa bien distinta parece intentada en la otra serie de que podemos hacer representante a *Rinconete y Cortadillo.* Aquí apenas si pasa nada.

El contraste con la intención artística que manifiesta la serie anterior no puede ser más grande. Allí eran los personajes mismos y sus andanzas mismas motivo de la fruición estética; el escritor podía reducir al mínimo su intervención. Aquí, por el contrario, sólo interesa el modo como el autor deja reflejarse en su retina las vulgares fisonomías de que nos habla.

Y Ortega apoya su distinción citando de *El coloquio de los perros* la que el propio Cervantes propone entre aquellos cuentos que encierran y tienen la gracia en ellos mismos, y aquellos otros que la tienen en el modo de contarlos:

algunos hay—dice el autor hablando por boca de perro—que, aunque se cuenten sin preámbulos y ornamentos de palabras, dan contento; y otros hay que es menester vestirlos de palabras, y con demostraciones del rostro y de las manos, y con mudar la voz, se hacen algo de nonada, y de flojos y desmayados se vuelven agudos y gustosos.

La distinción es por demás válida, claro está, y por cierto de larga trascendencia. Pero que, en efecto, pueda servir de criterio para una clasificación de las *Novelas ejemplares*, eso ya es otra cosa. La diversidad entre ellas no consiente reducción a esa dualidad, pues cada una se diferencia de todas las demás en muchos respectos. Creo yo que más bien debiera entenderse como un resultado de la actitud fundamental de su autor frente a la actividad literaria, una actitud de rigor creativo que le hace, no sólo repugnar las formas ya establecidas, sino incluso evitar la repetición de aquellas otras que él mismo acaba de acuñar en el tratamiento de un tema dado. No olvidemos que su caso no es el de un novelista más a quien "no faltó gracia y estilo", sino el de un descubridor de territorios nuevos y todavía nunca hollados, donde su inventiva podía desplegarse de mil maneras.

Ahora bien, el nuevo arte de hacer novelas introducido por Cervantes, la revolución que él llevó a cabo, no está basada en eliminar y hacer tabla rasa, sino al contrario, en utilizar, absorber y transformar todos los elementos de la tradición literaria de que disponía, para obtener así un producto de superior riqueza.

Esta técnica de composición a partir de enfoques dispares y en principio incompatibles culminará en la primera y segunda partes del *Quijote*, dando lugar a sendas obras de un arte tan refinado como complejo. La realidad ha sido abordada en ellas desde una multitud de ángulos distintos, es decir, partiendo de la visión y elaboración a que los distintos "géneros" la habían sometido: el "realismo" de la línea Celestina-Lazarillo, la novela de caballerías y la pastoril, la de aventuras y morisca, la italiana, el cuento de origen oriental, Homero y Virgilio, el poema heroico-burlesco, el teatro romano y el español contemporáneo, etc., etc. Y con esto se logra proyectar una imagen polifacética de la vida humana, que escapa a cualquier encuadre y se afirma siempre de nuevo como impredictible, reapareciendo por detrás de cada particular configuración literaria. Haber conseguido esto poniendo a contribución precisamente los clichés literarios es el toque de la genialidad cervantina. Su obra está cargada de sutiles alusiones librescas, y en la vida de sus personajes entra por mucho la experiencia del contar y los varios estilos del cuento. No pretenden ser ajenos a la tradición literaria, sino que la asumen y, al hacerse cargo de ella, la rebasan. Ya Ortega y Gasset, en su mencionado libro, nos había llamado la atención, a propósito del episodio de los títeres de maese Pedro, sobre los saltos de un plano a otro de la realidad dentro del *Quijote*; y después, no han faltado quienes insistan en el estudio del mismo recurso con referencia

82

a tal o cual episodio o pasaje concretos. La obra magna supera el plano "literario" aludiendo de cien mil maneras a la literatura tradicional, pero también remitiendo a la literatura *in fieri*, es decir, a la creación poética como actividad vital. El manuscrito de *El curioso impertinente* se encuentra en la misma maleta, no sólo con libros de historia y novelas de caballerías, sino con el de *Rinconete,* todavía inédito; y al ligar ambas novelas, Cervantes remite aquélla al campo de las ejemplares. De hecho, puede considerársela complementaria, por vía de contraste, de *El celoso extremeño,* de igual modo que la historia del cautivo discurre en el mismo nivel que *El amante liberal,* y la primera salida de don Quijote, hasta el capítulo sexto, puede verse, y ha sido vista, como una novela ejemplar paralela de *El licenciado Vidriera.*

La reverberante estructura barroca del *Quijote* se debe, por cierto, a esa inagotable combinación de los estilos tradicionales y a ese juego continuo de referencias vitales a la literatura pretérita y presente. En cuanto a las *Novelas ejemplares,* pudiera bien sostenerse que no son, en verdad, dos maneras de cuento las que presentan, sino que cada una de ellas tantea y ensaya la suya propia, creando un clima singular y único dentro del conjunto. Se ha sugerido, por ejemplo, que *El coloquio de los perros* puede ser considerado como una novela picaresca cuyo protagonista no sería un ser humano, sino, muy adecuadamente, Berganza el can. Desde luego, Cervantes tenía muy presente en su ánimo e intenciones el género literario recién establecido en la conciencia de la época a raíz de la primera parte del *Guzmán de Alfa-*

rache. Hablando de la "inclinación picaresca" del joven Carriazo, dice en *La ilustre fregona* : "Finalmente, él salió tan bien con el asunto de pícaro, que pudiera leer cátedra en la Facultad al famoso Alfarache". Y en la primera parte del *Quijote* el galeote Ginesillo—quien aludirá en seguida a la novela de Alemán con "las manchas que se hicieron en la venta"—declara ser autor de *La vida de Ginés de Pasamonte,* libro tan bueno que "mal año para *Lazarillo de Tormes* y para todos cuantos de aquel género se han escrito o escribieren". Con eso, introduce Cervantes en el ámbito del *Quijote* un personaje que es, expresa y deliberadamente, protagonista de una fingida novela picaresca, y que todavía deberá continuar sus avatares, muy dentro del estilo, en la parte segunda. De este modo cabe afirmar sin duda alguna que entre los ingredientes literarios del *Quijote* figura también el género picaresco, esquematizado alrededor de esa figura episódica. En cambio, no me parece tan clara la adjudicación que a dicho género quiere hacerse de *El coloquio de los perros.* Ciertamente, se trata de un relato autobiográfico (aunque oral, no escrito por su pretendido autor ; e inserto además en el cuadro de un diálogo, el titulado "Coloquio que pasó entre Cipión y Berganza", que es, éste sí, un manuscrito ; y, por si tal estructura no fuera ya bastante complicada, enmarcado aún dentro de *El casamiento engañoso,* es decir, dentro del relato paralelo que el alférez Compuzano hace de sus desventuras al licenciado Peralta). E igualmente cierto es que el cuento de la vida de Berganza va a pasearnos, episodio tras episodio, por distintos sectores de la sociedad, con técnica similar a la de las novelas picarescas, pero que se remie de seguro a una fuente común, *El asno de oro* de Apuleyo, tanto más evidente para la novelita cervantina cuanto que, a más de citarlo, en ella se apunta la transformación de un hombre en bestia por arte de hechicería. Si alguna concomitancia tiene con el género picaresco, no me parece, sin embargo, que haya razón suficiente para incluirla dentro de su campo. Otro aspecto quisiera considerar en *El coloquio de los perros*: entre los muchos amos de este pícaro Berganza figuran unos pastores, con cuya ocasión compara Cervantes la vida cotidiana que éstos llevan con las idealizaciones de la literatura pastoril. Recuérdense las observaciones y reflexiones del escarmentado perro:

... consideraba que no debía de ser verdad lo que había oído contar de la vida de los pastores; a lo menos, de aquellos que la dama de mi amo leía en un libro cuando yo iba a su casa,

en vista de

los diferentes tratos y ejercicios que mis pastores ... tenían de aquellos que había oído leer que tenían los pastores de los libros; porque si los míos cantaban, no eran canciones acordadas y bien compuestas, sino un *Cata al lobo dó va, Juanica,* y otras cosas semejantes; y esto no al son de chirumbelas, rabeles o gaitas, sino al que hacía el dar un cayado con otro o al de algunas tejuelas puestas entre los dedos; y no con voces delicadas, sonoras y admirables, sino con voces roncas, que, solas o juntas, parecía, no que cantaban, sino que gritaban o gruñían. Lo más del día se les pasaba espulgándose o remendando sus abarcas; ni entre ellos se nombraban Amarilis, Fílidas, Galateas y Dianas, ni había Lisardos, Lausos, Jacintos ni Riselos; todos eran Antones, Domingos, Pablos o Lorentes; por donde vine a entender lo que pienso que deben de creer todos; que todos aquellos libros son cosas soñadas y bien escritas para entretenimiento de los ociosos, y no verdad alguna ...

Pero al marcar este contraste no se propone Cervantes sostener los fueros de la "realidad" como base de la inspiración literaria frente al artificio poético; no está preconizando ninguna especie de realismo, sino más bien proponiendo dos maneras, entre otras posibles, de elaborar poéticamente la experiencia práctica; quizás los dos puntos extremos. Escribe esa novela, según se ha calculado, hacia la época en que lo ocupaba la composición del *Quijote*, parte primera; y ya sabemos cómo el tema pastoril concurre a tal composición, y cuán abundantes elementos aporta a ella. De hecho, el *Quijote* es, tanto como una parodia de los libros de caballerías, una parodia de las novelas pastoriles, no menos penetrada que aquélla de transcendentales intenciones. Para empezar, en la biblioteca de Alonso Quijano figuraba *La Diana* de Jorge de Montemayor junto con otros libros del mismo género, incluso *La Galatea* del propio Cervantes; y al salvarlos el cura en el escrutinio, exclamará la sobrina:

¡Ay señor! ... Bien los puede vuestra merced mandar quemar, como a los demás; porque no sería mucho que, habiendo sanado mi señor tío de la enfermedad caballeresca, leyendo éstos se le antojase de hacerse pastor y andarse por los bosques y prados cantando, y tañendo y, lo que sería peor, hacerse poeta ...

En efecto, no otra cosa es lo que decide hacer don Quijote en el capítulo LXVII de la segunda parte, cuando regresa vencido; y será el recuerdo de la "nueva pastoril Arcadia" del capítulo LVIII lo que le sugiera la idea preludiada ya en el VI de la primera parte:

Éste es el prado donde topamos a las bizarras pastoras y gallardos pastores que en él querían renovar e imitar a la pastoral Arcadia, pensamiento tan nuevo como discreto, a cuya imitación, si es que a ti te parece bien, querría, ¡oh Sancho!, que nos convirtiésemos en pastores, siquiera el tiempo que tengo de estar recogido. Yo compraré algunas ovejas, y todas las demás cosas que al pastoril ejercicio son necesarias, y llamándome yo el pastor Quijotiz, y tú el pastor Pancino, nos andaremos por los montes, por las selvas y por los prados, cantando aquí, endechando allí, etcétera.

Puesto que el proyecto de don Quijote no se cumple, "pues ya en los nidos de antaño no hay pájaros hogaño", aquella deliciosa fiesta campestre que anticipa los juegos versallescos del rococó, será la última versión del mundo pastoril ofrecida en el *Quijote*:

En una aldea que está hasta dos leguas de aquí, donde hay mucha gente principal y muchos hidalgos y ricos, entre muchos amigos y parientes se concertó que con sus hijos, mujeres e hijas, vecinos, amigos y parientes, nos viniésemos a holgar a este sitio, que es uno de los más agradables de todos estos contornos, formando entre todos una nueva pastoril Arcadia, vistiéndonos las doncellas de zagalas y los mancebos de pastores. Traemos estudiadas dos églogas, una del famoso poeta Garcilaso, y otra del excelentísimo Camoens, en su misma lengua portuguesa, las cuales hasta ahora no hemos representado ...

87

Aunque la doncella termina su discurso excluyendo de allí la pesadumbre y la melancolía, esta refinadísima diversión social, con toda su riqueza y su delicadeza, tiene el tono suave y dolorido de las postrimerías. Las convenciones poéticas del género pastoral se han convertido ya en pasatiempo mundano de familias cultas y leídas. (No olvidemos, como detalle complementario, que la otra doncella reconocerá en seguida a don Quijote y Sancho como personajes de "una historia que de sus hazañas anda impresa, y yo he leído".)

Pero a este punto final sólo llegará Cervantes después de haber explorado a lo largo de su obra todos los caminos y senderos posibles de la Arcadia. Ya en el episodio de Marcela y Grisóstomo hemos encontrado pastores fingidos: ella, rica heredera, guardando su propio ganado; él, con su amigo Ambrosio—y muchos otros habían de imitarlos—para andarse en pos de ella, trocando en vestidos de pastor sus hábitos largos de estudiantes.

Y si aquí estuvieseis, señor, algún día, veríais resonar estas sierras y estos valles con los lamentos de los desengañados que la siguen. No está muy lejos de aquí un sitio donde hay casi dos docenas de altas hayas, y no hay ninguna que en su lisa corteza no tenga grabado y escrito el nombre de Marcela, y encima de alguna, una corona grabada en el mismo árbol, como si más claramente dijera su amante que Marcela la lleva y la merece de toda la hermosura humana. Aquí suspira un pastor; allí se queja otro; acullá se oyen amorosas canciones; acá desesperadas endechas ...

Estamos en plena Arcadia, pero una Arcadia fingida. No se pretende configurar la realidad de acuerdo con las convenciones del género pastoril, según hiciera Cervantes mismo en su primera novela, *La Galatea*, sino que los personajes se adaptan voluntariamente a esas convenciones, resueltos a encarnarlas y vivirlas en intencionada simulación. Sólo que no lo hacen en un espíritu de juego y por diversión, no están "representando" como lo harán al final de la segunda parte las gentes de la nueva pastoril Arcadia, sino que más bien asumen sus papeles en una actitud parecida a la de don Quijote cuando propone cambiarse de caballero andante a pastor Quijotiz; o aun cuando el hidalgo Alonso Quijano resuelve, al comienzo de la obra, hacerse caballero andante. Éste por efecto de su locura, e impulsados aquellos otros por las respectivas pasiones de su ánimo, deciden cambiar sus hábitos y, saliendo de su mundo cotidiano, convertirse en figuras pertenecientes al literario, en personajes de novela.

En el episodio de Grisóstomo y Marcela se mantiene el contraste que *El coloquio de los perros* nos había presentado entre los pastores de la experiencia práctica y los de la égloga, pero ahora lo que era radical contraposición se ha cambiado en una gradación muy sutil. Don Quijote va a ingresar en esta Arcadia fingida a través de las chozas de unos cabreros, su rústica mesa y sus groseras ceremonias. Él mismo se encargará de evocar la edad de oro con su discurso famoso. Apenas terminado, se anuncia la venida de un "zagal muy entendido y muy enamorado", el son de cuyo rabel no tarda en oírse.

Este zagal, Antonio, que cantará "con buena gracia" una canción oportuna, se eleva individualizado sobre la estatura vulgar de sus compañeros; y otro recién llegado cabrero, Pedro, aportará la noticia de lo sucedido con los señores y su fingida Arcadia, dándonos así acceso a su peculiarísimo terreno literario.

El contacto de don Quijote, espectro salido de los libros de caballerías, con estos seudo-pastores, y su ingreso en el ámbito sentimental pagano-renacentista donde ellos se encuentran instalados, es maravilla única del arte cervantino. En la composición del *Quijote* se cumple de continuo esa increíble hazaña de conectar, armonizándolas, esferas espirituales al parecer incompatibles, campos literarios que parecen excluirse recíprocamente, para crear una nueva dimensión del espacio imaginario, con la consecuencia que más tarde procuraremos poner de relieve. Probablemente el punto donde esa técnica alcanza a culminar es aquél en que don Quijote y Cardenio, locos ambos, se ponen frente a frente. Aquí don Quijote, caballero andante en parodia, hidalgo aldeano trocado en personaje de novela de caballerías, debe encontrarse con un personaje de "novela ejemplar", es decir, salido del recinto de la nueva novelística que Cervantes está creando a partir de la tradición italiana. El mundo de Cardenio y Luscinda, de Fernando y Dorotea, tiene más afinidad con el de *El curioso impertinente* que con el de don Quijote mismo; y si a éste se lo ha sacado de la escena cuando en la venta se da lectura a esa novela, en cambio lo hemos visto chocar antes, en Sierra Morena, con la novela de Cardenio, sin que del choque haya quedado destruida la composición artística. Hecho el milagro, nos parece cosa natural; pero bastará con que observemos el resultado desastroso, la lamentable incongruencia del encuentro entre don Quijote y Cardenio en la comedia de Guillén de Castro (quien, sin embargo, operaba sobre la base de un modelo tan bien logrado) para darnos cuenta del prodigio llevado a cabo por Cervantes. Este prodigio se repite una vez y otra a lo largo de la obra, donde se combinarán y organizarán para erigir una estructura complejísima, no sólo la novela de caballerías y la pastoril, no sólo la italiana y la picaresca, sino todas las estilizaciones del cuento que, en un mayor o menor grado de agotamiento, constituían la tradición literaria de la época, y que nuestro autor reasume y reelabora en su nuevo arte de hacer novelas. De las diversas y siempre variadas maneras con que lleva a cabo esta renovación transformadora nos brinda un ejemplo más la historia del cautivo que, con todos sus elementos temáticos y autobiográficos, debe asimilarse a *El amante liberal*, y cuya comparación con la historia de Ozmín y Daraja, intercalada por Mateo Alemán en su *Guzmán de Alfarache*, basta para declarar el cambio vitalizador que en manos de Cervantes experimenta la novela morisca.

Frente al agotamiento de los géneros y de los estilos correspondientes un escritor de hoy propendería a volverse de espaldas a la "literatura", a hacer de ella tabla rasa, más aún: a negarla, y buscar la originalidad para su creación poética en las fuentes mismas de la vida. En efecto, ésa es la actitud de los innovadores actuales, y no sería cosa de discutir aquí sus resultados. La revolución literaria cumplida por Cervantes procede a la inversa: pone a contribución las formas exhaustas, y las emplea como material de construcción para levantar un nuevo edificio, creando con él espacios espirituales cuya posibilidad nadie sospechaba, dimensiones poéticas que la geometría literaria anterior no había descubierto.

Este procedimiento, que puede estudiarse en las "novelas ejemplares", culmina con el *Quijote*. Su primera parte es—pudiéramos afirmar, aunque la afirmación sorprenda a muchos—un libro de libros. Responde al expreso propósito de "deshacer la autoridad y cabida que en el mundo y en el vulgo tienen los libros de caballerías", parodiándolos. Y a partir de ahí, la obra aparece tan cargada de alusiones literarias cuya captación resulta indispensable para su cabal entendimiento, que no puede sino admirarnos la amplitud y variedad de las lecturas presuntas en el público contemporáneo a quien iba destinada. El actual necesita, evidentemente, la ayuda de innumerables notas aclaratorias, y aún así es dudoso que se encuentre en condiciones de percibir las referencias más sutiles, reducidas alguna vez a un mero esguince de la prosa, tan ligero que no sin estar muy alerta podría detectarse. Desde luego, la parodia—y no sólo, claro está, de los libros de caballerías—reside en el estilo mismo, donde muchas veces deberemos hallar la indicación que nos remite a un determinado ámbito de la invención literaria, a un cierto género, subgénero o corriente, cuyas resonancias nos permitirán aprehender el sentido del pasaje. Con toda la abrumadora obra crítica que pesa sobre el texto del *Quijote*, en verdad todavía está por hacer el análisis adecuado de sus diversos niveles y maneras de prosa, y de la intención significativa a que responden.

Quede recalcado el hecho: al escribir el *Quijote* cuenta Cervantes con que sus lectores están familiarizados en extensión y a fondo con la literatura recibida en la época, y espera por lo tanto que sean capaces de reconocer enseguida los materiales—muchos de ellos, escombro ya—con que edifica su nueva "historia". ¿Pero cómo, siendo así, logra que ésta resulte en verdad nueva? ¿Cómo le infunde una vitalidad tan poderosa? ¿Cómo alcanza a crear tan plena ilusión de realidad?

Precisamente así; precisamente, por efecto de la pluralidad de perspectivas que se consigue al agrupar en una estructura compuesta ámbitos imaginativos diferentes y en principio inconciliables. Si el protagonista pertenece al campo literario "realista" como hidalgo aldeano, pero ingresa por su locura en el campo literario de la novela de caballerías y, potencialmente, en el de la pastoril, asomándose en todo caso a diferentes Arcadias, podrá ser que él mismo sepa, como dice, quién es, pero nosotros en cambio apenas si sabremos a qué atenernos: ¿Alonso Quijano? ¿Quijada, Quesada, Quejana; don Quijote, Valdovinos, el pastor Quijotiz? La famosa ambigüedad cervantina, que empieza con los nombres, nos pierde en un laberinto de espejos por el cual nos deslizamos en pos de una realidad siempre elusiva...

Esta visión de la realidad que Cervantes tiene y nos comunica, como un algo incierto que nuestra mente se esfuerza por apresar, comprender y someter a razón, está artísticamente servida por recursos muy variados, pero en primer término por la sabia combinación de espacios poéticos diversos que nos hace saltar de uno a otro con los personajes de ficción, y presta a éstos un relieve del que carecerían si estuvieran encerrados en una forma homogénea y fija. La célebre escena en que don Quijote se precipita dentro del ámbito imaginario del retablo de maese Pedro (no más imaginario que el de la venta donde todos se encuentran) sería sólo un caso entre tantos otros.

Indicamos antes que en su parte primera el *Quijote* es un libro de libros, y que tiene como supuesto la entera tradición literaria de aquel entonces. Cuando Cervantes escribe *La segunda parte del ingenioso caballero don Quijote de la Mancha* esa tradición se ha enriquecido con un libro más, que pasa a desempeñar función fundamental ahora: *El ingenioso hidalgo don Quijote de la Mancha*, publicado por él diez años antes, y al que un desconocido con seudónimo de tal Avellaneda ha puesto continuación apócrifa.

Estos hechos servirán de base principal al nuevo *Quijote* de 1615. La segunda parte es una superfetación de la primera. El don Quijote que se dispone a emprender su tercera salida es ya un personaje literario cuya fama ha venido a encontrarlo en su lecho de enfermo por boca del bachiller Carrasco y va a salirle luego al paso en todos los caminos. El libro tiene existencia pública, es un texto establecido, frente a cuya realidad concreta y limitada reaparece el personaje sosteniendo su autonomía y actuando según su propio arbitrio.

Por supuesto que este proceso en que el libro mismo queda como extrapolado dejándonos en presencia y contacto directo con los personajes que sirvió para crear, está iniciado ya en la primera parte mediante la ficción del autor primitivo, Cide Hamete Benengeli, y sobre todo con la maravillosa suspensión de la batalla contra el vizcaíno y hallazgo subsecuente de los cartapacios en Alcaná de Toledo. Pero es en la segunda parte donde ese libro, que ya ha cobrado una universal notoriedad diversa y enfáticamente atestiguada por su propio autor, se discute y sirve de referencia para el desarrollo de la acción y de los personajes. Tal discusión (sobre todo al comienzo, con el mentado Sansón Carrasco, pero reanudada luego en otros momentos y conexiones) sustituye aquí al escrutinio de la librería de don Quijote. Porque los duques lo han leído y conocen bien su historia, acogen a don Quijote y Sancho en su palacio y crean para ellos, en burla, un mundo que es, no ya metafóricamente, el gran teatro del mundo al que poco antes aludieran en su diálogo tras el encuentro con la carreta de las cortes de la muerte. Caballero y escudero son ahora, y no son ya, en la segunda parte, los mismos: siguen siendo sin duda los personajes de la parte primera pero, aunque ésta les condiciona, es condición para su ulterior desenvolvimiento, que ha de ser libre como el curso de la vida personal de cada uno de nosotros, sólo hasta cierto punto mediatizada por los consabidos hechos de nuestra individual "historia", que tal vez ni siquiera los ha registrado con entera fidelidad.

La inventiva inagotable de Cervantes completará todavía este proceso hacia la autonomía de sus personajes confrontándolos con uno, don Álvaro Tarfe, que ha sacado del *Quijote* apócrifo—un ámbito literario *sui generis*—para hacerle penetrar en el campo de su creación propia, a cuyo caudal habíamos visto confluir ya todas las más heterogéneas corrientes de la narrativa.

EXPERIENCIA VIVA Y CREACIÓN POÉTICA

(UN PROBLEMA DEL *QUIJOTE*)

En un libro curioso, pero poco leído, inédito durante siglos, la *Miscelánea* de don Luis Zapata, se encuentra, bajo el título de "Disimulación y fingimiento", la siguiente anécdota:

Y volviendo a las [disimulaciones] de burla, tuvo el conde de Benavente por huésped un embajador portugués; y estos grandes señores cuando ven en su casa un noble extranjero, para que cuente sus grandezas no ven honra que no les hagan, ni saben lugar donde ponerle. Desto estaban en su casa sus caballeros muy enfadados de ver hacer tanta ceremonia un príncipe tan grande a un sutil portugués de paso; y dos pajes desta manera lo proveyeron y remediaron. Tomaron una vacía de barbero de plata, y otro un aguamanil y unas toallas, y sobre comida llegan al embajador a le lavar la barba. Él pensó que era aquello para honrar los huéspedes, y costumbre de Castilla y de aquella casa. Estuvo quedo, y laváronle muy a su placer la barba los que jamás hicieron tal, y los que no tenían ninguna; y eran tan desvergonzados, que le traían la mano por las narices y boca, haciéndole hacer mil visajes. Cuantos caballeros había en casa no se podían valer de risa; mas porque el conde era asperísimo, no osaban sino estar muy callados, y el conde también atónito del atrevimiento de aquéllos, y temerosísimo de que aquel que tanto quería honrar, fuese de su casa deshonrado, acudió a la disimulación por remedio. Manda a los pajes que también a él le laven, y el portugués se mostró muy corrido de su mala crianza, pidiendo mil perdones de haberse antes quél lavado, y alabando mucho aquella costumbre y limpieza. Después del lavatorio partió el embajador muy contento, y los pajes, aunque el conde lo rió después mucho, fueron muy bien castigados.

Ese texto sorprende al lector que por primera vez se lo tropieza, pues la anécdota le era bien conocida, familiar, aunque referida a muy distintos personajes y circunstancias. Es la famosa burla que sufre don Quijote en casa de los duques. ¿Y quién no recuerda el pasaje, a raíz del altercado entre el caballero y el clérigo represensor suyo, en el capítulo XXXII de la segunda parte? :

Finalmente, Don Quijote se sosegó, y la comida se acabó; y en levantando los manteles, llegaron cuatro doncellas, la una con una fuente de plata, y la otra con un aguamanil asimismo de plata, y la otra con dos blanquísimas y riquísimas toallas al hombro, y la cuarta descubiertos los brazos hasta la mitad, y en sus blancas manos (que sin duda eran blancas) una redonda pella de jabón napolitano. Llegó la de la fuente, y con gentil donaire y desenvoltura encajó la fuente debajo de la barba de don Quijote, el cual sin hablar palabra, admirado de semejante ceremonia, creyó que debía ser usanza de aquella tierra, en lugar de las manos, lavar las barbas, y así tendió la suya cuanto pudo, y al mismo punto comenzó a llover el aguamanil; y la doncella del jabón le manoseó las barbas con mucha priesa, levantando copos de nieve (que no eran menos blancas las jabonaduras) no sólo por las barbas, mas por todo el rostro y por los ojos del obediente caballero, tanto que se los hicieron cerrar por fuerza. El duque y la duquesa, que de nada desto eran sabidores, estaban esperando en qué había de parar tan extraordinario lavatorio. La doncella barbera, cuando le tuvo con un palmo de jabonadura, fingió que se le había acabado el agua, y mandó a la del aguamanil fuese por ella, que el señor don Quijote esperaría. Hízolo así, y quedó don Quijote con la más extraña figura, y más para hacer reír que se pudiera imaginar. Mirábanle todos los que presentes estaban, que eran muchos, y como le veían con media vara de cuello, más que medianamente moreno, los ojos cerrados, y las barbas llenas de jabón, fue gran maravilla y mucha discreción poder disimular la risa. Las doncellas de la burla tenían los ojos bajos sin osar mirar a sus señores; a ellos les retozaba la cólera y la risa en el cuerpo, y no sabían a qué acudir, o a castigar el atrevimiento de las muchachas, o darles premio por el gusto que recibían de ver a don Quijote de aquella suerte. Finalmente, la doncella del aguamanil vino, y acabaron de lavar a don Quijote, y luego la que traía las toallas le limpió y enjugó muy reposadamente, y haciéndole todas cuatro a la par una grande y profunda inclinación y reverencia, se querían ir; pero el duque, porque don Quijote no cayese en la burla, llamó a la doncella de la fuente, diciéndole: Venid y lavadme a mí, y mirad que no se os acabe el agua. La muchacha aguda y diligente llegó y puso la fuente al duque como a don Quijote, y dándose priesa le lavaron y jabonaron muy bien, y dejándole enjuto y limpio, haciendo reverencias se fueron. Después se supo que había jurado el duque que si a él no le lavaran como a don Quijote, había de castigar su desenvoltura, la cual habían enmendado discretamente con haberle a él jabonado.

La similitud entre ambos textos es de las que no consienten duda racional alguna: se trata del mismo episodio, sin que a nadie pueda ocurrírsele hablar de una coincidencia que hacen inverosímil la singularidad, tan definida, de su esencial estructura, y la identidad de los detalles. Hasta las pequeñas diferencias observables resultan ser, como veremos luego, corroborativas.

También está fuera de discusión la prioridad de la *Miscelánea*. Zapata, su autor, contemporáneo de Cervantes y sólo quince años mayor que él, escribió este libro, última de sus obras, en edad avanzada, sí, pero, con todo, bastante antes de la fecha de publicación de la segunda parte del *Quijote*. Y así, anota Pellicer el siguiente comentario al episodio cervantesco:

No es ésta la primera burla hecha a hidalgos viajantes en los palacios de grandes señores. En el del conde de Benavente se hizo otra a un hidalgo portugués casi idéntica con la de don Quijote, y que pudo servir de original a Cervantes. Refiérela don Luis de Zapata en su *Miscelánea* (Biblioteca Real, est. H, co. 14, f. 106) ...

Posteriores comentaristas, como Clemencín, no añaden nada a la noticia y conjetura de Pellicer, y es verdaderamente curioso verlos pasar como sobre ascuas, sin considerar siquiera el problema literario envuelto, cuando tanto, y a veces con tanta ociosidad, se demoran en cuestiones mucho más adjetivas. El prolijo Rodríguez Marín apunta las diferencias introducidas por Cervantes, pero no deduce de ellas consecuencia alguna. De modo que, en cuanto al problema de fondo, estamos todavía en la volandera y demasiado imprecisa opinión de Pellicer, según la cual eso "pudo servir de original a Cervantes". ¿La anécdota misma, o acaso el cuento que de ella hace Zapata? Aun esto queda en una ambigüedad deliberada, con ser tan importante dilucidarlo.

Aunque la *Miscelánea* permaneció inédita durante la vida de uno y otro escritor, e inédita siguió hasta el año 1859, en que la Real Academia de la Historia la incluye, como volumen XI, en su *Memorial Histórico Español*, siguiendo el mismo manuscrito original que Pellicer cita, ningún obstáculo decisivo impide considerar la eventualidad de que Cervantes hubiera tenido acceso, en algún momento, a ese manuscrito, o a alguna parte de él, pues, sin duda, Zapata lo redactó en períodos diferentes. Después de su mal famado *Carlo Famoso*, poema heroico—o, como se le ha llamado, *crónica rimada*—en 50 cantos, que publicara en Valencia a sus propias expensas el año 1566, los demás escritos de Zapata, poeta sin éxito, apenas alcanzaron las prensas. Se conoce un *Libro de cetrería,* en verso también, que (como otro de que ha quedado noticia, dedicado igualmente a actividades deportivas de la época) corrió, manuscrito, a la manera de código, entre la nobleza que las ejercitaba. No es improbable que circularan a su vez, de manera análoga, copias de la curiosa *Miscelánea,* y que alguna llegara a manos de Cervantes. Ignoramos si hubo relación directa entre éste y Zapata. La diferencia de categoría social que los separaba—pues don Luis pertenecía a la alta nobleza—quedaba salvada por el prestigio literario, que había hecho respetable entre sus contemporáneos la figura del hidalgo Miguel de Cervantes; pero esa misma razón podía militar, por otro lado, como resistencia psicológica del aristócrata fracasado escritor, contra las perspectivas de semejante relación personal. Sea como quiera, nada sabemos de si llegaron a conocerse; pero tampoco esto es necesario para admitir la eventualidad de que Cervantes hubiera leído en la *Miscelánea* lo sucedido al embajador portugués en casa del conde de Benavente, tomándolo como original para su escena del lavado de barba.

Otras son las consideraciones que desautorizan tal supuesto. La principal de ellas, a mi juicio, que, si Cervantes hubiera conocido la existencia del texto de Zapata, no hubiera dejado de aludir de alguna manera a él, o bien a la anécdota real que le presta contenido, con ocasión de la burla hecha a don Quijote, siquiera mediante uno de esos guiños sutiles, imperceptibles casi, con que suele referirse de pasada en su obra a temas literarios diversos. La falta de toda alusión revela, a mi entender, que creía habérselas, en cambio, con un material crudo, tomado directamente de la realidad viva, y nunca antes sometido a tratamiento literario.

Que, en efecto, se trata de un sucedido real, y no de una invención de Zapata, es evidente por la naturaleza misma de la *Miscelánea*. Aunque hay en ella muy diversas anécdotas, y no todas creíbles, el autor tenía el decidido propósito de ser verídico, atenido principalmente al crédito de los testimonios. A punto de contar un caso poco verosímil, se defiende:

Sería yo escritor ridículo, ni para ningún caso merecería tomar en las manos tinta y papel, si por un caso extrañísimo, como este que diré, perdiese el crédito que a tantos verdaderos se me ha dado.

A veces incorpora cosas que él mismo ha presenciado, cartas suyas, hechos sucedidos a gente próxima. En el mismo capítulo "De disimulación y fingimiento" cuenta:

Luis Álvarez, un hidalgo de Medellín, que llamaban por nombre de burla Gallipapo, pesábale, con ser muy de palacio, que así le llamasen, y mucho más estando delante de gente de su tierra. Pero un día, comiendo en Medellín con el conde mi tío [se refiere el autor a don Juan Portocarrero, tercer conde de Medellín], dijo el conde: "Trae aquí vino a Gallipapo"; acudió él de presto y dijo al paje: "También a mí me trae un poco", pensando con la adversativa dar a entender que él era otro que el que había dicho el conde.

El conde de Benavente, en cuya casa burlaron a un embajador portugués igual que a don Quijote en la de los duques, era don Rodrigo Pimentel, personaje de bien conocido carácter, acerca del cual corrían otras anécdotas que diversos escritores recogen, y a veces en forma bastante concordante. Difícil se hace suponer que la de referencia fuera, en esas condiciones, falsa, y menos aún inventada por don Luis Zapata. Cuestión diferente—y que poco importa—sería la de si el hecho sucedió tal cual él lo refiere, o si al pasar de boca en boca, según suele ocurrir tantas veces, se redondeó hasta perfeccionarse. El corrimiento del burlado, que cree haber incurrido en descortesía al dejarse asear antes que su noble anfitrión, tiene todo el aire de un añadido destinado a cerrar y completar graciosamente el cuento. De hecho, este elemento no figura en el episodio del *Quijote*. Con toda probabilidad, la anécdota es real, y Cervantes la conoció de viva voz, como uno de tantos sucedidos que se cuentan y celebran, y repiten una y otra vez, en tertulias y corrillos, formando parte de la conversación que era en aquella época principal entretenimiento de las gentes; pues bien sabemos, por testimonios diversos, literarios en su mayor parte, que la gracia para contar cuentos se cotizaba entonces como una de las más valiosas virtudes sociales, y el propio *Quijote* ofrece varios testimonios de ello.

Así, pues, no debemos tener empacho en dar por cierto que la anécdota del embajador portugués en casa del conde de Benavente fue un auténtico sucedido, y que Cervantes la conoció por relato oral, independientemente de la *Miscelánea* inédita de don Luis Zapata. Veamos ahora en qué se separa de ésta el episodio quijotil.

Las variantes que éste registra respecto a la estructura original son dos. La primera consiste en haber sustituido a la pareja de muchachos, autores materiales de la burla, que obran a instigación de los caballeros de la casa, por cuatro doncellas, quienes, al tiempo de ejecutar su atrevimiento, "tenían los ojos bajos, sin osar mirar a sus señores". Con este cambio se introduce un tono de alegre delicadeza en la burla, y se elimina de ella la brutalidad del ultraje que implica, y que fácilmente escapa al lector actual. En aquel tiempo no lo había peor, en efecto, que manosearle a uno las barbas, de lo que todavía es vestigio en el nuestro la frase "subírsele a uno a las barbas". Y aunque fueron dos pajes "que no tenían ninguna" quienes sobaron las suyas al embajador portugués, lo hacían por cuenta de los caballeros allí presentes. Cervantes encomienda la operación a inofensivas manos de doncella, que no infieren agravio. Recuérdese que, en el pasaje inmediatamente anterior, comentando el incidente del clérigo represor, había afirmado el duque la doctrina de que, "así como no agravian las mujeres, no agravian los eclesiásticos, como vuesa merced mejor sabe".

La segunda diferencia que introduce Cervantes va también en el sentido de prestar mayor delicadeza a la escena. En lugar del encarnizado manoseo de los pajes por narices y boca para obligar a hacer mil visajes risibles a su víctima, se coloca el arbitrio ingenioso de fingir que se había acabado el agua, dejando así expuesto a don Quijote, con los ojos cegados por el jabón. De esta manera puede luego el autor vivificar la orden del duque destinada a disimular la burla repitiendo en sus propias barbas el lavatorio con la advertencia "y mirad que no se os acabe el agua". El deseo de Sancho, que quiere verse sometido a idéntica o más radical operación de higiene, remata y da salida al episodio, como en el relato de Zapata el corrimiento del portugués.

Claro está que la diferencia capital estriba, como veremos más adelante, en haber puesto a don Quijote, ¡nada menos que a don Quijote!, en el lugar de un anónimo y no caracterizado hidalgo portugués, a quien otros toman de ocasión adventicia para dar salida a un malestar doméstico. En vez de sujeto pasivo, del que ninguna otra circunstancia interesa, don Quijote es el verdadero protagonista y centro de la escena, que se coloca así en una perspectiva muy distinta: en la perspectiva de la invención cervantesca. Pero eso no es una variante propiamente dicha, sino el nervio mismo de nuestro problema.

Se nos plantea éste a partir del hecho inconcuso—excluida por imposible la hipótesis de coincidencia casual—de que Cervantes integró en su obra un elemento orgánico tomado, si no de otro texto, por lo menos de labios de la gente que lo contaba como sucedido. En la densa atmósfera literaria donde se desenvuelve la creación cervantina, estamos acostumbrados, ciertamente, al procedimiento de componer con elementos ya *hechos*. Rodríguez Marín ha descubierto que las famosas palabras iniciales: "En un lugar de la Mancha ..." son un verso de cierto romancillo que él pudo localizar; Arturo Maraso ha establecido la conexión intencional de varios pasajes del *Quijote* con versos virgilianos; algunas incorporaciones de textos resultan obvias; otras alusiones, transparentes, y hay dichos, rasgos, donaires, chistes, que nos dan la impresión segura de un acarreo—adopción y enriquecimiento. Pero éste es el primer y único caso en que podemos confrontar, inequívoca e inconfundiblemente, gracias al dichoso azar que supone la *Miscelánea* inédita de Zapata, todo un episodio del *Quijote,* completo, articulado, orgánico, cerrado, con el modelo real del que es trasunto. De ahí derivan una multitud de cuestiones literarias, particulares y generales, capaces de conducir hasta los temas últimos de la creación poética. Y, por lo pronto, nos encontramos con un punto de apoyo muy firme para discurrir sobre la estética, el tipo de imaginación y los procedimientos de composición literaria de Cervantes.

¿Cómo explicarse que se haya desaprovechado hasta ahora tan favorable perspectiva? Si los comentaristas pasan por alto o toman a la ligera el caso, despachándolo cuando más con el "pudo servir de original a Cervantes" de Pellicer, quizá sea debido, y yo así lo creo, a la aureola que, desde muy pronto, rodeó al llamado Príncipe de los Ingenios para sustraerlo a toda apreciación de su obra que no fuera apologética reverente del libro milagroso y cuasi sagrado—sin perjuicio de las absurdas y disparatadísimas tachas con que la pedantería de algún anotador descarga a veces un curioso resentimiento contra su grandeza. Poner de relieve la procedencia ajena de un episodio conspicuo del *Quijote* debió de parecerles que menoscabaría su gloria, dejándolo como en descubierto, que sería tanto como sorprender a Cervantes en renuncio.

Aun descartada la eventualidad de un *plagio* del texto de Zapata, queda siempre establecido que el autor de *El ingenioso caballero don Quijote de la Mancha* llevó a las páginas de su libro una escena muy singular e individualizada, una situación construida de arriba abajo, no imaginada por él, sino tomada de otra parte, de fuera, donde estaba constituida ya con existencia propia.

Pero en esa vergonzante indulgencia—si tal es, en verdad, el motivo de tan notable inhibición crítica—hay no sólo superstición pueril, sino, en el fondo, ese algo de ofensivo que tiene toda beatería. El *Quijote* no necesita ser tratado como la celada de su protagonista; debemos suponer que resiste cualquier prueba. Y, bien considerado, el que un escritor de tan despierta conciencia literaria como Cervantes, tan poseído de sí mismo, en el apogeo de su fama y en la madurez extrema de su talento y de su edad, se decidiera a convertir el personaje célebre, cuyas nuevas aventuras eran aguardadas con ex-

107

pectación, en sujeto de una escena contada y reída en las tertulias como anécdota corriente, no puede atribuirse a debilidad de especie alguna; y es, por lo tanto, ridículo el intento de favorecerlo con la ventaja benevolente de la *vista gorda*. Muy al contrario, debemos aguzarla bien, pues nos revela bastante acerca de la concepción literaria de nuestro autor y del modo como se procesa, dentro de su estética, el manejo de los materiales, más o menos crudos, de la experiencia.

El procedimiento seguido en este caso por Cervantes parecería abonar, por lo pronto, los esfuerzos de tantos eruditos como se han afanado en rastrear los modelos reales de personajes, lugares, situaciones y detalles, comenzando por el del protagonista mismo, que pudieran haber servido de inspiración inmediata a la invención del *Quijote*. Es muy cierto que la imaginación cervantesca opera en conexión estrecha con la experiencia de la vida cotidiana—en eso consiste su ponderado *realismo*—, y bien puede aceptarse que la tarea erudita de identificación fracasará, probablemente, en multitud de casos, antes que por falta de objeto real, por falta de medios para descubrir y seguir su huella, pues la realidad viva es más evanescente que la obra escrita, con ser ésta también, por desgracia, demasiado perecedera. ¿Qué noticias tendríamos hoy de la anécdota del embajador portugués en casa del conde de Benavente sin el manuscrito de don Luis Zapata? Tipos diversos, casos curiosos, pintorescos, divertidos o conmovedores, tantos y tantos elementos de la realidad en torno suyo que Cervantes pudo haber utilizado y seguramente utilizó en su labor literaria, desaparecieron sin dejar memoria, mientras que los dechados literarios resultan relativamente más fáciles de captar y establecer. La vanidad última del desesperado ojeo radica, sin embargo, en que, una vez averiguado todo lo averiguable, y aun lo que no lo es, tendríamos, sí, ricos materiales para estudiar los procedimientos de la composición poética en Cervantes, pero de modo alguno habríamos alcanzado ese mayor o mejor entendimiento de su obra que parecería prometer la ilustre teoría del arte como imitación de la naturaleza o, para decirlo con exactitud, su versión vulgarizada. Desde esta plataforma teórica sería, en efecto, consecuente el considerar muy satisfactoria la comprobación de que Cervantes recogió su episodio de la realidad práctica, imitando con bellas palabras de poesía la verdad de la vida, mientras que parecería escandaloso, en cambio, el descubrir su origen en un libro de imaginación.

Sin embargo, tal distingo carece de fundamento: para el sentido esencial de la obra artística es indiferente que sus elementos—o *materiales*—procedan de la experiencia viva o de elaboraciones artísticas previas. Y es fácil descubrir ahí el resultado de una aplicación ilegítima de la no menos ilustre pareja categorial *forma-materia,* igualmente aristotélica en su origen, e igualmente abusada en sus interpretaciones vulgares. Aplicada de esta manera al arte, suele ocasionar los mayores equívocos. Aun en procesos de elaboración estética hasta cierto punto sencillos, como la escultura, que por sí misma parecería autorizar la distinción entre una *forma* donde se realiza el valor estético y una *materia* que es mera condición para que se concreten en obra las intuiciones del artífice, aun ahí falla el intento de alcanzar por esa vía la esencia de la creación artística. Pues, ante todo, la *calidad* de la materia misma influye en el valor estético y entra en la concepción de la obra, que puede requerir el bronce, la madera, el granito, el mármol pulido, la terracota; un color particular, brillante o mate, o una determinada policromía. Y luego, ¿qué decir del *tamaño,* tan inherente a la concepción, y por tanto, tan relacionado con el valor de la obra? La Victoria de Samotracia, reducida al tamaño de un adorno de mesa, es grotesca; y, por otro lado, el maravilloso Perseo de Cellini, ¿acaso no está adelantando, en su tamaño efectivo, la idea preciosa del orfebre metido a escultor? Y, sin embargo, el tamaño no es ni forma ni materia, sino una relación significativa, una referencia más, que incluye al observador en la órbita de la obra, e integra ésta, a su vez, en el mundo... Pero al pasar de un arte representativo bastante puro: la escultura—donde ya vemos que, sin embargo, la cuestión no es tan simple—, al intrincado terreno literario, las cosas se complican enormemente. Para empezar, la determinación de *forma* y *materia* no parece ya aquí tan obvia como parecía serlo frente a una estatua. La envoltura verbal en que, sin duda con excesiva precipitación, pretende a veces reconocerse su forma, ¿no será más bien la materia de la obra literaria? ¿No está hecha ésta con palabras, de igual manera que la estatua con mármol o bronce, la música con sonidos, la pintura con colores?... Pero las palabras no son ni un objeto mineral, ni un fenómeno físico de que el hombre

110

se vale para crear formas significativas; las palabras son ya una creación humana y no consisten sino en significaciones; y cuando se las agrupa con vistas a producir un soneto o una novela, esas significaciones de las palabras se combinan para erigir estructuras significativas mucho más complejas, en cuya construcción entran, claro está, junto a los significados potenciales relativamente simples adscritos en principio a cada vocablo suelto, complejos verbales—frases hechas, refranes, etc.—, así como también complejos conceptuales no ligados a una fórmula precisa, pero vinculados en su origen, igual que todo lo que es específicamente humano, al lenguaje que les presta expresión objetiva. ¿Serán acaso objetos como éstos—el amor de don Quijote a Dulcinea, "por mi santiguada, Sancho", la invención de Clavileño, la cabeza parlante, "villano, harto de ajos", "no hay pájaros hogaño", caballeros andantes, el río Ebro—, serán, digo, estos significados la *materia* de la obra de arte literaria? Entonces, ¿cuál vendría a ser su *forma*? La distinción corriente entre forma y materia se hace perturbadora, por inadecuada, tan pronto como se pretende aplicarla con algún rigor a la creación poética, y valdrá más que nos despreocupemos de ella, sin perjuicio de seguir usando esos términos, cuando nos cuadre, de un modo sólo aproximativo y provisional.

Ahora bien, puesto que el escritor no maneja un material crudo como los que ofrece la naturaleza a la industria de otros artistas, sino que está obligado a crear partiendo siempre de elementos ya elaborados, y éstos de muy varia índole, resulta falaz, a poco que se considere, la pretendida separación categórica entre elementos procedentes de la vida misma y elementos recogidos de la tradición literaria. El propio episodio del lavado de barbas nos ofrece, con su indeterminación, un ejemplo bien demostrativo. Suponiendo que Cervantes lo hubiera tomado de Zapata, ¿sería ya por eso *literatura*, y no *vida*? Pero, aun recogido de labios de la gente, el acontecimiento real tampoco deja de hallarse *configurado* con intencional estructura. Constituye por lo pronto una especie de farsa urdida y puesta en escena o, mejor, lanzada hacia desarrollos en definitiva inciertos (¿se daría cuenta de la burla el portugués?, ¿cuál sería entonces su reacción?, ¿cómo lo tomaría, a su vez, el conde?), según ocurre con todos los actos de la vida humana. Y, además, concluida y presenciada desde fuera, relatada, repetida, se depura, perfila y redondea hasta convertirse en una cerrada unidad de sentido: en eso que llamamos *una anécdota*, como unidades de sentido son los refranes de Sancho, usados a pelo o a contrapelo, la idea de *caballero andante* que don Quijote asume, la de *aventura*, la fabla, o la retórica de *rubicundo Apolo, arpadas lenguas* y *rosada aurora*...

Entre los materiales que entran a componer una obra de complejidad tal como el *Quijote* podrían hallarse fácilmente ilustraciones, empezando por el verso de sus cinco primeras palabras, o aun por las del título, para cuantas clases de procedencia quepa imaginar; y sería inagotable tarea, digna de una bien empleada erudición, clasificar los elementos provenientes de los fondos últimos de la tradición cultural: temas mitológicos, bíblicos, religiosos en general; del folklore universal; de la historia literaria: asuntos, formas y estilos diversos; o de obras literarias particulares y concretas; de la esfera de las otras artes; del campo histórico: realidad pretérita o presente; del acontecer cotidiano y vulgar, de las experiencias personales del autor, de sus sueños, de su mundo secreto de fantasía...

Claro está que, conforme fuera acercándose ese análisis al vértice de la subjetividad, los materiales resultarían cada vez menos inequívocamente identificables; pero, por otro lado, ¿no revierte el espíritu subjetivo sobre todos ellos, incluso los que más sustantivos parecen, cubriéndolos y tiñéndolos con la intención general de la obra donde se encuentran incorporados? En último término, la creación literaria concreta y proyecta en forma objetiva la experiencia personal del autor; y a esta experiencia pertenecen, no sólo aquellas vivencias radicales que, por ser comunes al género humano, dan origen a los mitos y son siempre vividas de nuevo a través de ellos: anhelo del paraíso perdido, sentimiento de culpa, expiación, descenso a los infiernos, anonadamiento, rescate, salvación, etc.; y no sólo las cosas buenas y malas que el mundo le haya deparado a él en el correr de los años, sino también toda aquella parte del patrimonio cultural al que sus individuales circunstancias le hayan dado acceso. Y así, la experiencia de Cervantes no se agota en los avatares más o menos memorables de su vida: Lepanto, "la más alta ocasión que vieron los siglos pasados, los presentes, ni esperan ver los venideros"; el cautiverio y, luego, la prisión; los

113

goces secretos del amor; las desgracias domésticas o el éxito literario. También son experiencias suyas, y no insignificantes, sus estudios y lecturas, la *Eneida*, los libros de caballerías, el romancero, *Orlando furioso*, de igual manera que es experiencia para nosotros, y forma parte de nuestras vidas, tal vez todo aquello, más, desde luego, la lectura del *Quijote* mismo, y quizá también las obras de Dostoievski, de Proust, las películas que vemos en el cine y las canciones que oímos por la radio. ¿En razón de qué podría suponerse que sea menos *experiencia* para nadie la lectura de un libro, acaso decisiva, que un incidente con su vecino, o que un suceso notable que haya podido impresionarle de algún modo, iluminándole una determinada perspectiva vital? La experiencia propia de cada sujeto humano, mediante la cual va constituyéndose su vida, debe ser tomada y entendida como totalidad. Entra en ella la literatura, como todo lo demás; y al tratarse de un lector tan curioso, asiduo y sagaz, de una mente tan penetrante y lúcida, de un escritor tan apasionado de su arte como Cervantes lo era, no hay ni que decir cuánta sería la parte correspondiente a la literatura en el conjunto de sus experiencias vitales.

El *Quijote* está cuajado de alusiones literarias de la más variada índole; en verdad, cuajado de alusiones de toda especie, la mayor parte de las cuales se nos escaparán sin remedio a los lectores actuales, aunque otras hayan podido establecerse y aclararse en virtud de la investigación erudita. Para entender el guiño de Cervantes cuando, refiriéndose al arriero de Arévalo, dice en el capítulo XVI de la primera parte que el autor de esta historia, es decir, Cide Hamete Benengeli, hace particular mención de él, "porque le conocía muy bien, y aun quieren decir que era algo pariente suyo", hay que saber que quienes por entonces ejercían ese oficio en España eran en su mayor parte moriscos (compárese la tónica de esta burla con la honda, trémula y delicadísima emoción del encuentro de Sancho y su antiguo vecino el morisco Ricote en el capítulo LIX de la segunda parte, cuando ya han intervenido los bandos de la expulsión que tan perplejo y suspenso dejó el juicio y tan turbada la conciencia de los mejores españoles). Pero otras alusiones tienen que haberse esfumado; las sospechamos en esos pasajes donde, como oxidado del tiempo, el texto parece apagarse en manchas de una calidad mate, y se nos hace oscuro. ¿De qué es eco, por ejemplo, la misteriosa aventura del rebuzno en el capítulo XXV de la segunda parte? ¡Quién sabe! El alejamiento de la obra literaria, que permite—y no es pequeña ventaja—percibir muchas de sus más amplias conexiones histórico-culturales (ya he intentado señalar alguna, principal, en otro estudio), tiene, en cambio, el inconveniente de cortar poco a poco los vínculos con la experiencia común de la época, con lo que el autor y sus contemporáneos convivieron, privando a las alusiones de aquellos *consabidos* puntos de referencia que la corriente del tiempo arrastró consigo. Si yo, ahora, hago apodar al personaje de una novela "la *damisela encantadora*", todos mis contemporáneos, que durante años han oído hasta la saciedad esas dos palabras en la canción de cierto valsecito, entienden; pero ¿cómo lo interpretaría quien leyera esa novela dentro de cincuenta años más, en el supuesto de que tan larga vida le otorgasen sus intrínsecos merecimientos o razones de fortuna?

La obra literaria, donde se objetivan experiencias vitales de su autor, queda desprendida de esas experiencias, que eran participación individual en la vida colectiva, y permanece ahí, acuñada definitivamente, mientras la realidad histórica sigue transformándose, cambiando. Los vocablos mismos con que el libro está escrito pierden sus habituales connotaciones, sufren alteraciones semánticas, cambian su resonancia; día llegará en que se hagan ininteligibles. Ciertos énfasis, el uso intencional de arcaísmos, de vulgarismos, de términos jurídicos, de fórmulas escolares, todo lo que es juego verbal, se borra o atenúa con los años y la mudanza de los tiempos. Ocasión hubo en que, estúpidamente, se tomó por modelo de prosa cervantesca y paradigma de estilo aquellos trozos donde Cervantes parodia, burlesco, una retórica obsoleta, error en que no hubieran podido caer las gentes de su tiempo. Más atrás, en el *Libro de buen amor*, hay ciertas palabras y frases de interpretación dudosa o, hasta ahora, imposible. *El cantar de Mio Cid*, como también, con mayor motivo, *La Chanson de Roland*, suele ya hoy *traducirse* al lenguaje moderno... Conforme se alejan de nuestro actual mundo de experiencias, estos libros pasan, poco a poco, de ser un arte de general entretenimiento y disfrute, al coto cerrado de los entendidos y estudiosos; y eso, no obstante la perennidad de su concepción, sin la cual caerían en el completo olvido.

Llegados a este punto, podemos volver ahora sobre nuestro problema inicial. La comprobación de que Cervantes había tomado una anécdota corriente de su tiempo y, con sólo algún retoque, se la había *colgado* a los personajes fingidos de su novela, haciendo protagonista del episodio al propio don Quijote, parecía ofrecernos un punto de partida muy prometedor para discurrir sobre el tipo de su imaginación y sobre la manera como él concibe la obra de creación literaria. Simplificándolo, podríamos reducir ese problema, por lo pronto, a los términos muy generales de la relación entre la obra de arte y la realidad en sus múltiples y diversos órdenes. La creación artística introduce en el mundo un nuevo objeto: la obra, que antes no existía, enriqueciéndolo con ella. De qué especie sea ese objeto, lo consideraremos luego. Bástenos por el momento parar la atención en este hecho evidentísimo: que suprimido, borrado y ausente el *Quijote*—o la *Divina comedia*, o el cuadro de *Las meninas*, o el Partenón, o *Les Fleurs du mal*—, la realidad de nuestro mundo sería más pobre, más rala, otra. Lo cual quiere decir que la obra de arte viene a instalarse *en* el mundo, a componer *dentro* de la compleja realidad del mundo. Ya vimos de pasada, con referencia a la escultura, que—aun desde el punto de vista rigurosamente estético—la obra de arte se encuentra situada dentro de un juego de relaciones que la vinculan al resto de lo existente: la calidad del material, el color, el tamaño y no digamos el emplazamiento. Porque esa obra vale como tal y significa lo que significa, para hombres concretos que viven en la historia; y, por lo tanto, es claro que depende de todas las determinaciones de lo humano, a partir—en el nivel biológico mismo— de la particularidad del equipo sensorial de nuestra especie. Con toda su objetivación, y la eternidad que también podemos atribuirle razonablemente, no por eso está menos incluida la obra de arte en la corriente del tiempo, aunque sea comparable a los témpanos de agua helada que en su líquido caudal arrastra un río. Una vez creada y puesta en el mundo, queda sometida a las eventualidades de su decurso.

Pero ya los materiales a base de los cuales fue elaborada y, digamos, congelada en cristal sólido, pertenecen, es inevitable, a la fluida corriente histórica, son siempre materiales de la vida humana. La *Victoria de Samotracia* es cifra de su memorable ocasión; *Las meninas* nos llevan al melancólico interior de Felipe IV, y el "¡Qué descansada vida ... !" de fray Luis de León nos comunica los anhelos de un hombre a quien las vanas asperezas de la pugna social han fatigado: experiencias muy diversas, antes y después repetidas veces innumerables sin ocasionar más que salvajes gritos de júbilo, un bostezo o un suspiro. El artista erige sobre ellas una creación perenne, que concentra su sentido en una forma expresiva orientada por la intención de belleza, capaz de catalizar y depurar en su noble objetividad las emociones vivas de otros hombres por generaciones y siglos.

Ahora bien, la creación del artista se produce dentro del sistema y de las tradiciones de su arte: Horacio, con su *Beatus ille*, estará detrás de fray Luis; los italianos y flamencos, detrás de Velázquez. Sería absurdo eliminar del conjunto de las experiencias personales del artista, alimento subjetivo de su obra, lo que para él es tan importante: la experiencia artística, las vivencias personales vinculadas a las obras de arte que se encuentran, con él, en el mundo, que forman parte de su realidad, y dentro de cuyo orden va él a rendir su trabajo de artista. Los clásicos que Cervantes estudió en la escuela, los italianos que aprendió, la *Araucana* que leyó acaso de joven, el aplaudido teatro de Lope de Vega y el recordado de Lope de Rueda, las obras de fray Antonio de Guevara, cuya gran boga internacional contemplaba él con cierta ironía ("si de mujeres rameras, ahí está el obispo de Mondoñedo, que os prestará a Lamia, Layda y Flora"), todo eso formaba parte de su mundo, como forman parte del nuestro hoy, junto a aquellos mismos clásicos, mucho peor sabidos, junto al propio Cervantes, que ha pasado a serlo, y a Quevedo, y Gracián, y Larra, y Unamuno, y Ortega, André Gide, Pirandello, la novela policial, las zarzuelas, los dramas de la radio. Todo eso, y, además, los frutos de las otras artes no literarias, entra también en la experiencia del escritor indistintamente para, luego, organizarse en el plano subjetivo de su personalidad.

Pero tan pronto como hayamos reconocido la heterogénea índole de los materiales que se reúnen en la experiencia individual del artista para componer su obra según singularísimos y, no obstante, absolutamente valiosos principios de orden, tenemos que volver a discriminar entre ellos, aislando los que pertenecen al sistema de su arte, para prestarles una especial atención. ¿Por qué?, pues por eso mismo: por constituir un sistema que actúa *preceptivamente* sobre el trabajo del artista; en nuestro caso, sobre la creación literaria. Mientras otro tipo de experiencias, las que suelen llamarse *vitales*, suscitan en el escritor reacciones espontáneas, moduladas tan sólo por los criterios de apreciación que subyacen en el fondo de su formación cultural, las experiencias "literarias" reclaman de él una reacción muy reflexiva, consciente y alquitarada. Son experiencias *sui generis*, que él coloca un poco entre paréntesis para separarlas del resto, como pertenecientes a un mundo aparte. De hecho pertenecen al mundo de la poesía, al que él pretende incorporarse con nuevas producciones. Si ha de alcanzar mediante su ejercicio el valor estético, tendrá que aceptar y repetir las pautas vigentes, un poco a la manera en que el sacerdote alcanza el valor religioso a través de una liturgia, y un poco también como el artesano se ajusta a las reglas de su arte. Tal cual el pintor que reproducía siempre de nuevo la Sagrada Familia o la escena paradisíaca del Pecado Original, el poeta necesita recoger de la tradición literaria temas, argumentos, detalles de ejecución, formas y estilos, y reelaborarlos para producir por su cuenta una nueva obra cargada de valor, en la que se exprese—y esto es lo importante— su personalísima intuición de algo universal.

Comparemos, por ejemplo, el poema de Francisco de Rioja, "Pura, encendida rosa", con el de Calderón, "Éstas que fueron pompa y alegría". Ambos objetivan la misma intuición fundamental: la de la transitoriedad de la vida humana, o mejor, concretamente, de *mi vida*; y lo hacen comparándola con la fugaz existencia de una rosa. Pertenecen esos poemas a una larga serie de composiciones análogas—cada una de las cuales es, sin embargo, pieza singular y distinta—que operan estéticamente sobre el lector, despertando, estimulando y organizando por tal procedimiento los sentimientos ligados a aquella intuición. Comparar la vida humana con el breve término de una flor esplendorosa es tanto como dar plasticidad a su fugaz decurso y ponérnoslo ante los ojos. Mediante una especie de toque mágico, la vaga inquietud que siempre nos ronda al sentir la huida del tiempo viene a precipitarse, se agudiza, se hace perentoria, y nos penetra de un metafísico temblor. La noción de eternidad, sobre cuyo fondo ha de proyectarse nuestra corta existencia, y frente a la cual nos sentimos tan miserablemente perecederos, es muy difícil de concebir en abstracto. Sabemos, sí, que frente a la eternidad se anula cualquier diferencia de duración; eso nos permite comparar los años de nuestra existencia con las breves horas de una flor. Desdoblada así la imagen de nuestra vida, la contemplamos ahora como rosa efímera, inserta en el marco temporal de la existencia humana, que por ser más duradera representa a la eternidad, y que es, también en otro sentido, en un sentido profundo, auténtico espejo de la eternidad, y no metafórico. El arte del poeta nos abre de este modo una perspectiva, no intelectual, sino estética, sobre el sentido—o, acaso, el sinsentido, la *vanidad*—de la vida.

121

Por supuesto, es ésta una de las intuiciones radicales que, larvadas o activas, se encuentran de continuo en el espíritu humano; y la literatura intenta expresarla mediante los procedimientos y con las inflexiones e implicaciones más diversos. Villon pregunta "où sont les neiges d'antan", y Jorge Manrique une un eco de esta vieja pregunta al de las danzas de la muerte; Shakespeare hace a Hamlet reflexionar sobre la calavera de Yorick; Quevedo no halla cosa en que poner los ojos que no "fuese recuerdo de la muerte"... Pero en los poemas de Rioja y de Calderón notamos de un modo marcado, mucho más que en los otros casos, la factura canónica. No es sólo que producen su obra dentro de formas métricas tradicionales y bien reguladas, sino que se valen de la rosa como imagen de la vida humana—precisamente, de la rosa, flor de ilustre prosapia. Pues, más que un objeto del reino vegetal, la rosa es creación de cultura—no ya de cultivo jardineril, sino de cultivo literario. Es una flor eminentemente *poética*, que infinitas veces ha servido como punto de comparación a las mejillas femeninas. Todos los elementos de esos poemas proceden, pues, de la tradición literaria, son convencionales, aun cuando, claro está, su valor estético resida en el toque personal, por el que la intuición se hace de nuevo comunicable a través de una particular unidad de composición poética.

Ahora bien, todo *sistema* amenaza ahogar la experiencia bajo el caparazón del convencionalismo: el sentimiento religioso puede quedar sofocado bajo los ritos, y las intuiciones radicales pueden trivializarse y desva-

122

necerse cuando su tratamiento literario discurre por cauces demasiado rígidos para permitir el despliegue de la personalidad del creador. Cervantes, que vivió y escribió en un momento crucial, tenía muy clara conciencia de ello. Conocía la fuerza y la ventaja—más aún, la necesidad—de las tradiciones literarias, y conocía también sus peligros, sus fatales cortapisas. Nunca consigue desembarazarse de la preocupación por ese problema—el que pudiéramos llamar, sin demasiada exactitud, problema de los *géneros*. Su obsesión—que tal llega a parecernos—con la segunda parte de *La Galatea,* hasta la hora de su muerte, sugiere a nuestra imaginación la eventualidad vertiginosa de que el autor del *Quijote* se hubiera decidido a escribir, en lugar de éste, un verdadero nuevo libro de caballerías, agregando todavía un título más a la serie de los Palmerines y Esplandianes, dentro de un género tan agotado como la novela pastoril misma. ¿No es acaso el *Persiles* un logro admirable en una dirección a la que ya restaba escaso porvenir? También la tentación del género picaresco, cuya atmósfera se respira en el *Rinconete y Cortadillo,* resulta evidente en diversos pasajes del *Quijote.* Si Cervantes, en lugar de lanzarse a la aventura y el descubrimiento, se hubiera atenido a alguno de los géneros literarios preexistentes, como lo hizo en *La Galatea* y en otras de sus producciones, los materiales utilizados hubieran debido seleccionarse y ordenarse con arreglo a las exigencias internas del género propuesto; pues toda creación literaria, por original que sea, opera estéticamente dentro de un *sistema*; y Cervantes, que había tanteado los diversos gé-

123

neros y que siempre tuvo presente el problema que ellos plantean, conocía mejor que nadie la relación entre las experiencias de la vida y la estructura íntima de la obra de arte, sus posibilidades de juego, y también—claro está—el límite de tales posibilidades. Buena prueba es el doble tratamiento a que sometiera el tema del viejo celoso (probablemente, basado en algún hecho o situación de la vida real), al desarrollarlo en su entremés de ese título y en su novela de *El celoso extremeño*. El mismo complejo de hechos, el mismo *argumento* (algo que probablemente el autor recogió ya organizado, o casi organizado, de la realidad en torno suyo, por manera análoga a lo ocurrido con la anécdota del lavatorio de barbas del *Quijote*), puede prestarse, entre sus manos de artista, a la sátira grotesca, llena de una alegre y brutal procacidad quizá nunca igualada en el teatro, tanto como a una novela ejemplar que, gravemente, pone ante los ojos del lector el plexo de errores, pasión, culpa y destino implícito en una determinada conducta humana. Cada *sistema* literario exige un tratamiento adecuado del material, comporta un especial temple, implica un cierto y particular enfoque de la realidad.

Ahora bien, la trascendencia de la creación del *Quijote* consiste en que con él no sólo surge una nueva obra de arte, sino que también se inventa un género literario nuevo. En virtud de circunstancias histórico-culturales que no sería éste el momento de dilucidar, Cervantes se encuentra en condiciones de acuñar la realidad —es decir, su propia experiencia de la vida—en una estructura literaria nueva. Rompe los moldes—o, mejor, los deforma y acomoda diversamente para multiplicar las perspectivas—y pone en planta un género literario distinto a los que existían antes, por más antecedentes que en ellos se le señalen. El *Quijote* inaugura, en efecto, la novela moderna y—caso no raro, casi diría normal—la agota al mismo tiempo al explotar de una vez todas sus posibilidades. En cierto modo, cuantos, después de él, hemos intentado novelas a lo largo de cuatro siglos y medio, hemos estado reescribiendo el *Quijote*, con mayor o menor fortuna. Lo característico de la novela moderna—a diferencia de la novela antigua, que es un relato, un cuento prolongado o una serie ligada de cuentos; a diferencia del poema heroico—quizá sea el propósito de alcanzar una expresión totalizadora del sentido de la existencia humana. Cuando se han perdido aquellos asideros de fe religiosa que permitían ordenar la propia vida dentro de un cuadro objetivo, y el humano, reducido y abandonado a su mera individualidad, tiene que buscar por sí mismo su razón de ser, uno de los caminos posibles está en las intuiciones que, sobre el plano estético, le permita alcanzar la imaginación del novelista. Pues éste maneja los materiales de la experiencia cotidiana, lo inmediato, lo vivido, en una palabra: la *realidad* misma, tan compleja y misteriosa, del hombre desamparado en el mundo; y, objetivando sus afanes mediante las personificaciones imaginarias, suscita en el lector la inquietud acerca del sentido de su propia existencia. Esa función, última y no consciente, de ayudar al hombre a entender el mundo y a entenderse a sí mismo dentro de un mundo cuyas claves se han

125

perdido, impone a la novela el carácter de género híbrido, impuro, indefinido, de formas fluctuantes e imprecisas, que tantas veces y con razón se le ha reprochado. Es y tiene que ser un género abierto a las exploraciones, y lo bastante plástico para prestarse a las intuiciones más diversas. Así lo forjó ya, originalmente, Cervantes. El procedimiento que él emplea consiste, ante todo, en la integración de elementos heterogéneos, empezando por combinar dispositivos formales diferentes —los de los géneros tradicionales—, que facilitan perspectivas muy diversas sobre la vida humana, desde la más alquitarada lírica hasta la cruda chocarrería de la picaresca, y que, en la composición del *Quijote,* no sólo se acumulan, sino que muchas veces aparecen colocados en agudo contraste. De ahí viene la saturación literaria del libro, a cuyas páginas concurren prácticamente todas las líneas de la tradición literaria; sin embargo de lo cual, rezuma vida fresca, esa vida cuyo sentido profundo se manifiesta ahí por incesantes señas y vislumbres. En verdad, tan directo resultado, esta inconfundible sensación de autenticidad, se logra a través de la acumulación de formas y de recursos literarios tradicionales. Y, por mucho que ello suene a paradoja, resulta muy explicable. La conjugación de los diversos temples, estados de ánimo, humores, actitudes, modos de encarar y de entender la realidad, en suma, disposiciones vitales, que han cuajado a lo largo del tiempo en géneros literarios separados, tiene que dar como fruto una captación plural de la existencia humana, mucho más rica, en su multitud de perspectivas, que la ofrecida dentro de un solo y simple *sistema.*

Por supuesto que, entre la variedad de los *géneros* ligados dentro de la estructura del *Quijote,* no podría dejar de figurar también uno de la más vieja solera: el cuento. Adoctrinar con un ejemplo sacado de la conducta ajena, divertir o impresionar con una curiosidad que se nos brinda como rendija por donde atisbemos el gran misterio, es algo que está presente siempre en toda la historia literaria. En el tiempo de Cervantes son numerosos los libros que, como la *Miscelánea* de Zapata, recogen rasgos de ingenio, raros sucesos, hechos diversos que el escritor considera de algún modo significativos y dignos de memoria. Y Cervantes no renuncia a utilizar tales elementos para su obra.

Sin embargo, en el caso del episodio de la barba no se trata, como en tantos pasajes, de un cuento o anécdota que, por ejemplo, refiere Sancho o cualquier otro de los personajes, sino que ahí la anécdota se ha incorporado al torso principal de la historia, haciéndose protagonista de ella al propio don Quijote. Sustituir por éste al impersonal hidalgo portugués del cuento no es ya —decíamos al comienzo—introducir una mera variante, sino henchirlo de nuevo sentido. La *situación* que en casa del conde de Benavente apenas si ofrece, tal como la refiere Zapata, otra cosa que un esquema descarnado de conductas en juego, no es aquí ya algo que le ocurrió a X o Z, sino lo que está viviendo nuestro don Quijote; y el conjunto de actitudes y actos alrededor suyo se hace con esto iridiscente, se carga de dramatismo, adquiere

127

la tensa y azorante ambigüedad de todo lo humano. Podrá parecernos, acaso, divertida la burla hecha al embajador portugués, o juzgaremos de ella como queramos; pero don Quijote, con la cara cubierta de jabón, nos produce vértigo, nos asoma al abismo; y si nos reímos, es que nos estamos riendo, con risa trascendental, de nosotros mismos, y del Dios vivo; pero si nos compadecemos del *Ecce Homo,* tenemos que compadecer también, al mismo tiempo, a sus burladores, a las doncellas y los duques; pues en ese nivel, y por virtud de la obra de arte, que transmuta al organizarlos en un orden superior los materiales de experiencia más heterogéneos, estamos ya tocando fondo, y palpamos la entraña oscura y palpitante del mundo.

EL NUEVO ARTE DE HACER NOVELAS

ESTUDIADO EN UN TEMA CERVANTINO

Consiste la finalidad de este trabajo en comparar con cierta minucia el diverso tratamiento que un mismo autor—Cervantes, a quien se reputa con razón como el creador de la novela moderna—dio al mismo *argumento* —la historia del viejo celoso y burlado—, dentro de un género tradicional, la comedia, y dentro de su nueva concepción novelística.

De entre las novelas ejemplares, *El celoso extremeño* es, sin duda, una de las mejor estudiadas: a su análisis han consagrado esfuerzo e ingenio varios de los más agudos en cuestiones filológicas. Sin embargo, la referencia al entremés de *El viejo celoso* en tales estudios ocurre sólo al margen y de pasada, siendo así que el cotejo de ambas producciones ofrece oportunidad casi única, por lo favorable, de averiguar el concepto que del nuevo arte de hacer novelas tenía quien, a la vez que lo inventaba, lo estaba elevando a la cima de su perfección.

La situación, la trama, el juego de los principales personajes, casi el título, y casi el nombre del protagonista (Cañizares en el entremés, Carrizales en la novela) son iguales; pero, en cambio, la tónica y, desde luego, la intención, no pueden ser más distintas. La pieza teatral, aunque penetrada hasta el fondo—¿y cómo no?—de la personalidad de Cervantes, es una farsa concebida, desenvuelta y escrita dentro de las más arraigadas tradiciones y convenciones de la escena cómica. Lo que es y

129

ha querido ser la novela, hemos de verlo luego; pues, por si no bastara a iluminárnoslo su contraste con el entremés, todavía la suerte nos ha regalado una primera versión manuscrita de *El celoso extremeño,* cuyas variantes, si sabemos interpretar su propósito, nos dirán mucho sobre las intenciones de un autor, en quien esa fuerza creadora a que suele llamarse genio armoniza tan admirablemente con la más escrupulosa conciencia literaria, siempre alerta, y con una incansable vigilancia intelectual.

El viejo celoso ha llamado la atención, se comprende bien, por su desenfado. Desenfado sería un eufemismo: procacidad es la palabra; una procacidad que sólo en Quevedo halla tal vez parangón; y nadie invalidará el juicio del sabio alemán que consideró ese entremés como "lo más desvergonzado que jamás se llevara al teatro". No se olvide que éste no es para leído, sino para representado; y que en él las palabras van acompañadas de la acción. Ademanes y meneos deben realzar ahí las frases de doble sentido—algunas de las cuales, por su propio carácter, han de escapársele al lector no familiarizado con las obscenidades del habla popular española—; y su diálogo suscita en el espectador indefectibles y continuas explosiones de carcajadas conforme sube de punto la burla al celoso viejo, hasta culminar en el más brutal ludibrio que imaginarse pueda: consumado tras de la puerta el adulterio, cuyos pasos nos ha descrito —le ha descrito a su marido—desde allí dentro, la esposa terminará por arrojarle a los ojos el agua con que ha lavado al otro, cegando así al viejo con la suciedad misma de su ignominia, mientras el joven escapa.

Sin duda alguna, lo *picante* de su asunto intensifica la atmósfera cómica del entremés. Los temas salaces—a diario lo vemos en chascarrillos y chistes vulgares—, al elevar la tensión emocional, aseguran el efecto del disparo cómico; y Cervantes acentúa con toda deliberación y seguro tino artístico el tono sexual de la farsa porque sabe muy bien que en el ser humano la sexualidad cruda *es* cómica, como lo son todos los impulsos biológicos cuando asoman esa cara de cochino que—al decir de la gente—tiene el diablo, por debajo de las convenciones sociales encargadas de revestir, disimular y dignificar, elevar, en fin, a nuestra especie. Doña Lorenza, la joven esposa de *El viejo celoso,* quiebra sus deberes conyugales con la misma desaforada y furiosa ansia del glotón que, no pudiendo contenerse ante una mesa bien abastecida, falta a todas las conveniencias; y al hacerlo, resulta cómica de una manera elemental y alegre.

Pero la comicidad de su conducta se refuerza por la circunstancia de que, en su caso, las normas conculcadas no son las que razonablemente suele imponer la cortesía, limpieza y decencia de la mesa, sino las tiránicas privaciones de un Doctor Pedro Recio. Este *perro del hortelano* que es Cañizares presenta a su vez la sexualidad bajo otro aspecto cómico, de signo opuesto: el de la impotencia. Con las facultades formales, oficiales, puramente externas, que su posición de marido, dueño y señor le confiere, quiere suplir él aquellas otras, naturales, cuya virtud le hubiera dotado de una autoridad verdadera. Y en este sentido, el entremés no es sólo una farsa destinada a burlar la estupidez humana y el error de la conducta, al estilo florentino de *La Mandrágora,* sino que, yendo más allá, cuestiona la institución misma del matrimonio, a la que, en cuanto tal institución, no le reconoce el valor incondicionado que le prestaría luego el drama calderoniano; pues, mediante la sátira de una situación donde el matrimonio, desprovisto de efectividad carnal, aparece como huero cascarón social y jurídico, nos está diciendo que la estructura superpuesta sólo es legítima en tanto en cuanto confirma una relación física y moral. Lo que—dicho sea de paso—cae dentro de la más estricta ortodoxia católica.

Por supuesto, es la misma ejemplaridad de la novela *El celoso extremeño;* pero en el entremés de *El viejo celoso* se destaca al primer plano la burla—y ya hemos visto cuán despiadada—del marido insensato que quiere poner puertas al campo, para centrar la atención sobre la comicidad diabólica del sexo, reprimido y desencadenado. El viejo celoso recibe su merecido: lo que más teme; y alrededor de su escarnio se tejen varios motivos conexos para crear una pequeña obra maestra en el género cómico. La lección que pueda haber queda implícita, se desprenderá como un fruto tardío de la risa.

En cambio, *El celoso extremeño* es todo reflexión preocupada acerca de la conducta humana: todo problema. A su protagonista se lo ha calificado de antihéroe, no sé si con entera razón; yo diría más bien que es un héroe moderno, héroe del fracaso, otro caballero de la Triste Figura, empeñado también, a su modo, en una quimera para la que, patéticamente, él carece de arrestos, pero que en cualquier caso no dejaría de ser una quimera, pues ignora la estructura de la realidad viva. Patéticamente, digo: aquí el error del juicio y de la voluntad no es ya objeto de befa; ya no estamos en el terreno de la comedia. Nada más alejado del espíritu de Boccaccio y sus novelas italianas que la de *El celoso extremeño*. Para eliminar de ella la última resonancia burlesca, Cervantes hizo que el adulterio quedara frustrado: una particularidad que ha llamado mucho la atención y ha dado lugar a sutilezas interpretativas bastante dislocadas a veces. Es éste uno de los puntos principales —de hecho, el principal— donde difieren la versión definitiva de la obra que publicó Cervantes y el manuscrito copiado con anterioridad por Porras de la Cámara para recreo del arzobispo Niño de Guevara, manuscrito donde el adulterio aparecía consumado y con gusto: "No estaba ya tan llorosa Isabela en los brazos de Loaysa, a lo que creerse puede"; mientras que la variante introducida luego presta a los hechos un curso que algunos consideran inverosímil: "... el valor de Leonora fue tal, que en el tiempo que más le convenía, le mostró contra las fuerzas villanas de su astuto engañador, que no fueron bastantes a vencerla, y él se cansó en balde, y ella quedó vencedora, y entrambos, dormidos". La pretendida inverosimilitud de este desarrollo ha conducido a especulaciones tan gratuitas como la de una forzada disimulación sexual de Cervantes, que, en este caso, no se hubiera justificado ni por presiones externas ni por motivos sociales, y que tampoco se manifestó en otras de sus obras de la misma época. Pero si, como sospecho, ese juicio sobre la inverosimilitud del desenlace revela más acerca de quienes lo formulan que acerca de la ancha, múltiple y flexible realidad de la experiencia vital, y si, por otra parte, le concedemos a Cervantes, lo cual no parecerá excesivo, el criterio suficiente para abstenerse de chapucería tal—que, de serlo, vendría para colmo, aconsejada o sugerida por consideraciones ajenas a la intención intrínseca de la obra—, podremos, despejado el prejuicio, tratar de averiguar el sentido a que cambio tan meditado responde.

Mediante él vemos atenuarse, por lo pronto, la nota de infamia. Carrizales no llega a graduarse de cornudo; ha estado en grave riesgo de serlo; incluso cree que lo es; pero el lector sabe—no olvidemos que en las representaciones de la imaginación popular la consumación física del acto es ahí lo decisivo—, sabe el lector, digo, que, a última hora, "ella quedó vencedora"; y así, la honra del marido, que estuvo en un tris, se salva. No sólo desvía de tal modo el autor la reacción burlesca —inevitable, casi automática, en otro caso—de sus lectores contra el marido engañado, sino que previene sabiamente la indignación que esa indulgencia, con que al final perdonará, suscitaría, librándolo del dictado de abyecto que le hubieran adjudicado si ellos—los lectores, que juzgan en forma emocional, y no lógica—no supieran como saben que la joven Leonora era en verdad inocente. Con esto, cuanto es y significa *El viejo celoso*

134

queda descartado del ambiente espiritual de *El celoso extremeño*. Hasta aquella levísima sorna de la frase "no estaba ya tan llorosa", etc., ha desaparecido para crear un clima de seria preocupación moral: el clima de *Novelas ejemplares*.

La discusión acerca de la ejemplaridad de tales novelas, y tantas apuradas conclusiones como ha producido, se explican bien por la singularidad absoluta de la actitud de Cervantes, que es punto único de armonía compleja y perfecta en la historia entera de la cultura europea. Por supuesto, que sus novelas no son ejemplares en el viejo sentido medieval de un orden rígido de preceptos promulgados, a los cuales debe ajustarse la conducta de cada uno de nosotros, so pena de. Pero tampoco son ejemplares a la manera inaugurada por la Contrarreforma, y conducida luego hasta el extremo de gazmoñería, donde el problema moral se pierde, disuelto en un conformismo también externo, pero cuyo centro de interés está más en las convenciones sociales que en el alma individual. Pretender que Cervantes cediera nunca, ni en broma, a la mojigatería ambiente, es error que deriva de atribuirle, reconociendo en él con toda razón un espíritu libre, las actitudes de la libertad moderna, tal como se desarrollaron a partir del siglo XVIII, cuando la moral, si constituye preocupación, se estima fundada en la mera personalidad individual; es decir, se la subjetiviza cada vez más radicalmente.

Pero Cervantes no es un escritor moderno obligado a disimular su individualismo antisocial dentro de un mundo de abrumadoras presiones mecánicas. Ciertamente, también existían éstas en el suyo, y debía sortearlas, y las sorteaba; pero no para gritar, como nosotros, la soledad del hombre perdido en la angustia de un universo incomprensible, sino para postular la validez de un orden ético-natural, cuyas exigencias no derivan de normas externas, sino que deben extraerse del fondo de la condición natural. En suma, Cervantes era un humanista cristiano. Y sus novelas, que bucean en el pozo de la naturaleza humana buscando la regla de la conducta debida, resultan ser, tal como él las rotuló, sencillamente ejemplares.

En *El celoso extremeño* nos ofrece la lección de la vanidad de todo esfuerzo encaminado a suprimir y sustituir la libertad del alma. El viejo Carrizales recibe el castigo de su insensatez, viendo desmoronarse todo el aparato de muros, puertas, cerrojos y guardianes que había montado con tanta diligencia para conservar ignorante a su tierna esposa, y hasta esa ignorancia misma se vuelve en contra suya. Pero el rigor de su castigo no debe ocultarnos una segunda línea que, en delicadísimo contrapunto, viene a recitarnos de otra manera la misma lección; a saber: que no sólo es vano oponer al albedrío paredes, dobles puertas y triples llaves, sino que también los impulsos carnales pueden ser violencia del alma, y quedar burlados por ella. Y así, la dueña Marialonso, que ha entregado su inocente señora como precio al joven Loaysa, y queda en el estrado "a esperar su contento de recudida", no lo recibirá nunca: el sueño la vence. Este sueño de la dueña, que Cervantes explica por "el desvelo de las pasadas noches", preludia el fra-

caso del propio Loaysa, quien, habiendo forzado porto-
nes y candados, no podrá forzar, en cambio, la resistencia de una infeliz niña entregada a sus brazos. ¿No
sentimos resonar aquí la sabiduría de Sancho Panza,
juez de la Ínsula Barataria?[1] Ha triunfado la libertad

---

[1] "Hermana mía—sentencia Sancho—, si el mismo aliento
y valor que habéis mostrado para defender esta bolsa le mos-
trárades, y aun la mitad menos, para defender vuestro cuerpo,
las fuerzas de Hércules no os hicieran fuerza". Es la misma
convicción que se desprende, en *El vergonzoso en palacio*, de
Tirso de Molina, del diálogo siguiente:

VASCO: ¿Es posible que un hombre que se tiene
por hombre como tú, hecho y derecho,
quisiese averiguar por tales medios
si fue forzada o no tu hermana? Dime:
¿piensas de veras que en el mundo ha habido
mujer forzada?
RUY: ¿Agora dudas de eso?
¿No están llenos los libros, las historias
y las pinturas de violentos raptos
y forzosos estupros, que no cuento?
VASCO: ... ..., ...
Ven acá: si Leonela no quisiera
dejar coger las uvas de su viña,
¿no se pudiera hacer toda un ovillo,
como hace el erizo, y a puñadas,
aruños, coces, gritos, y a bocados,
dejar burlado a quien su honor maltrata,
en pie su fama y el melón sin cata?

El buen frate sabía más, por lo visto, de esas cosas que algunos de nuestros filólogos, eruditos y profesores.

del alma: también Loaysa sucumbe al sueño... Evidentemente, la entrega gustosa de Leonora, tal como aparecía en la primera versión, hubiera rebajado el tono de la novela, no por las consideraciones pacatas que tanto se han aducido, antes bien por otras muy profundas. La lección hubiera quedado entonces reducida a ésta, de índole práctica: los impulsos de la carne son más poderosos que todas las cárceles y prisiones; inútil será, pues, someterlos a encierro: lección en clave cómica, la misma del entremés. Pues si Leonora cede al gusto (no habiendo especie alguna de inclinación amorosa extraconyugal, como se hará habitual pronto en el planteamiento moderno del problema: conflicto entre el deber socialmente sancionado y "los fueros del corazón", pues aquí el caso es, tan sólo, que a la esposa "le iba pareciendo [el intruso] de mejor talle que su velado"), la compulsación entre los recaudos materiales y la libertad del alma hubiera degenerado en una compulsación intrascendente entre dos fuerzas naturales, la fuerza física de los cerrojos y la biológica del instinto. Que la muchacha inocente y sin culpa, como se nos presenta, triunfara a la postre de éste era—según escribe un crítico—de justicia para ella y, sobre todo, resultaba adecuado al equilibrio poético y al sentido mismo de la obra.

¿Qué empacho, si no, iba a tener su autor en dar por consumado el adulterio? Por si fuera poco la comedia de *El viejo celoso,* que, por cierto, publicó Cervantes en fecha posterior, ¿no se consuma, acaso, un adulterio en la novela de *El curioso impertinente,* cuyo tema es paralelo y opuesto al de *El celoso extremeño,* tanto que juntas deben leerse ambas y ser entendidas como un doctrinal vivo del *perfecto casado*? Pues, en efecto, Anselmo juega allí la contraparte de Carrizales; incurre en el pecado contrario; su temeridad es el otro polo de la desconfianza no menos impertinente del celoso; y entre los dos extremos se encontraría el justo medio aristotélico de la virtud.

Quizá convenga, antes de pasar adelante, prestarle alguna atención a esta otra novelita, que por razones muy accidentales y extrínsecas ha sido calificada de italiana. En realidad, se trata de una novela ejemplar y cervantina por excelencia, con la gran diversidad de planos y la riqueza de perspectivas que dotan de una profundidad inagotable—y, por tanto, de perennidad— a las invenciones de este escritor único.

El lector de hoy encuentra en *El curioso impertinente* vetas de experiencia humana que apenas si se ha atrevido a explotar la literatura contemporánea, con todo su prurito de osadía. Milagro que no haya salido nadie a tachar de *inverosímil* la quimera de ese estupendo Anselmo, *cocu magnifique* mucho más complicado—y más real—que el de Crommelynck, en su empeño de revestir con la capa del razonamiento los deseos casi compulsivos de una sexualidad desviada. Pero sería, por otra parte, falso, y hasta grotesco, querer interpretar la novela a la luz del freudismo ni de ninguna psicología, profunda o no. Eso, la turbia curiosidad del marido imprudente, está ahí, como substrato de su conducta; mas lo que interesa al autor es ésta, la vida humana, en sus estructuras fundamentales. La culpa de Anselmo no radica, para Cervantes, en sus tendencias libidinosas mórbidas, de las que, probablemente, no atribuye al personaje una conciencia clara, sino en su propósito deliberado y expreso de asegurarse de la fidelidad de su esposa: un aseguramiento que atenta contra la libertad de su alma, en intención al menos. Igual propósito, en el fondo, fondo, que Carrizales, sólo que perseguido por caminos contrarios. Si Camila resistiera a la prueba—tal es el engañoso razonamiento de Anselmo—, ya podía tener él, para en adelante, la certidumbre completa de su fidelidad; es decir, que consideraría esa libertad como cancelada... Naturalmente, el triunfo de la libertad —que es también, por supuesto, libertad de pecar—se manifiesta, pues, aquí, ahora, a través de la consumación del adulterio.

Lo que hace de la novelística cervantina una verdadera creación, y la distingue de cualquier otro novelar de su tiempo, asignándola al futuro, es que constituye un escrutinio de la vida humana en busca de su sentido inmanente, en lugar de referirla a un patrón dado ya desde fuera. Este radicalísimo y en apariencia sencillo cambio de enfoque es su descubrimiento más genial, y representa una revolución literaria semejante a la que cumpliría en seguida Descartes en el campo de la especulación filosófica: establecido como punto de partida el *cogito ergo sum,* ya podía aceptar el filósofo la integridad de la fe católica, y aun tratar de confirmarla y robustecerla mediante argumentos racionales derivados de su propio sistema; que, de todos modos, éste, su método famoso, habría colocado sobre bases inmanentes todo el conocimiento. De igual manera puede bien decirse y se ha dicho que Cervantes es el padre de la novela moderna, sin que haya motivos para dudar por eso de su fidelidad e interior adhesión a las doctrinas de la Iglesia. Lo que tan singular hace su figura es que, mientras Descartes iniciaría una corriente que fluye hasta hoy sin interrupción, la rarísima conjunción de circunstancias históricas y personales en que se produjo la invención cervantina hizo que, después de su primera manifestación, corriera soterrada como un misterioso Guadiana para reaparecer sólo más tarde, lejos de su fuente. Y así, las novelas de Cervantes nos resultan ahora más *modernas* que tantas otras como después se escribieron siguiendo, no su modelo, sino más bien el de la picaresca, cuyos propósitos son distintos de la libre interpretación humanística de la vida que él realiza. Pues, si no se la saca de quicio, la novela picaresca es por su intención un género moralizador, dentro de la tradición medieval de los castigos y documentos; de modo que su centro de gravedad se encuentra, no en las peripecias, por curiosas y divertidas que puedan ser, sino en la doctrina con que el autor confronta y mide la conducta de sus personajes. ¡Lástima grande que el del *Quijote* no cumpliera lo que claramente anuncia en el capítulo XXII de su primera parte: componer una novela picaresca con la *Vida de Ginés de Pasamonte,* tan buena—dice el protagonista de cuya mano se supone escrita—, "que mal año para *Lazarillo de Tormes* y para cuantos de aquel género se han escrito"! Y digo que es lástima, porque lo hubiéramos visto reventar las costuras del dicho género, si no es que desistió Cervantes al darse cuenta de que, tras el *Quijote,* ya eso no tenía objeto.

En el tiempo que media entre la primera y la segunda parte del *Quijote* publicó Cervantes el tomo de sus *Novelas ejemplares*. Pero, intercalada en la historia de *El ingenioso hidalgo don Quijote de la Mancha,* había aparecido ya en 1605 la de *El curioso impertinente*. Aparece ahí como un manuscrito cuya lectura sirve de entretenimiento a la cuadrilla de don Quijote—Dorotea, Cardenio, el cura, el barbero y Sancho—cuando aquél se ha retirado a descansar en el camaranchón de la venta. Como se recordará, el ventero reabre la discusión sobre los libros de caballerías refiriéndose a los que tiene guardados en una maletilla, y, traída ésta a inspección, el cura se fija en unos papeles escritos con muy buena letra, como ocho pliegos titulados *Novela del curioso impertinente,* de la que se nos dirá que, "a algunos huéspedes que aquí la han leído, les ha contentado mucho". Ésta es la novela que el cura leerá en alta voz para solaz, no sólo de los pasajeros antes nombrados, sino también del propio ventero, su mujer, su hija y Maritornes. El texto leído ocupa enteros los capítulos XXXIII y XXXIV, rebasándolos, pues el cuento deberá terminar en el siguiente, tras la interrupción que ocasiona la pesadilla de don Quijote y su batalla con los cueros de vino tinto. Cuando, reanudada la lectura, llega la novela a su término, hará el cura este comentario: "Bien me parece esta novela, pero no me puedo persuadir que esto sea verdad; y si es fingido, fingió mal el autor, porque no se puede imaginar que haya marido tan necio que quiera hacer tan costosa experiencia como Anselmo. Si este caso se pusiera entre un galán y una dama, pudiérase llevar; pero entre marido y mujer algo tiene de imposible; y en lo que toca al modo de contarle, no me descontenta".

Más adelante, en el capítulo XLVII, cuando van a abandonar la venta don Quijote y sus compañeros, "el ventero se llegó al cura y le dio unos papeles, diciéndole que los había hallado en un aforro de la maleta donde se halló la novela de *El curioso impertinente,* y que pues su dueño no había vuelto más por allí, que se los llevase todos, que pues él no sabía leer no los quería. El cura se lo agradeció, y abriéndolos luego, vio que al principio del escrito decía: *Novela de Rinconete y Cortadillo,* por donde entendió ser alguna novela, y coligió que pues la de *El curioso impertinente* había sido buena, que también lo sería aquélla, pues podría ser fuesen todas de un mismo autor; y así la guardó con prosupuesto de leerla cuando tuviese comodidad". Como es bien sabido, el *Rinconete y Cortadillo,* a la sazón todavía inédito, entraría a integrar el volumen de las *Novelas ejemplares;* y no deja de ser interesante que Cervantes empareje así con una de ellas la que intercalaba en la primera parte del *Quijote.*

Respecto de esa intercalación, mucho se ha discutido desde entonces. Ya en el capítulo III de la segunda parte, durante la plática que el bachiller Sansón Carrasco sostiene con don Quijote sobre la historia de sus grandezas, se le hace decir: "Una de las tachas que ponen a la tal historia es que su autor puso en ella una novela intitulada *El curioso impertinente*; no por mala ni por mal razonada, sino por no ser de aquel lugar, ni tiene que ver con la historia de su merced del señor don Quijote". Hasta el capítulo XLIV se hará esperar la explicación de dicho autor; pero ella no falta. Comienza así el capítulo: "Dicen que en el propio original de esta historia se lee que, llegando Cide Hamete a escribir este capítulo, no le tradujo su intérprete como él le había escrito, que fue un modo de queja que tuvo el moro de sí mismo por haber tomado entre manos una historia tan seca y tan limitada como esta de don Quijote, por parecerle que siempre había de hablar de él y de Sancho, sin osar extenderse a otras disgresiones y episodios más graves y más entretenidos; y decía que el ir siempre atenido el entendimiento, la mano y la pluma a escribir de un solo sujeto, y hablar por las bocas de pocas personas, era un trabajo incomportable, cuyo fruto no redundaba en el de su autor; y que por huir de este inconveniente había usado en la primera parte del artificio de algunas novelas, como fueron la de *El curioso impertinente* y la de *El capitán cautivo,* que están como separadas de la historia, puesto que las demás que allí se cuentan son casos sucedidos al mismo don Quijote, que no podían dejar de escribirse. También pensó, como él dice, que muchos, llevados de la atención que piden las hazañas de don Quijote, no la darían a las novelas, y pasarían por ellas o con prisa o con enfado, sin advertir la gala y artificio que en sí contienen, el cual se mostrará bien al descubierto cuando por sí solas, sin arrimarse a las locuras de don Quijote ni a las sandeces de Sancho, salieren a luz; y así, en esta segunda parte no quiso ingerir novelas sueltas ni pegadizas, sino algunos episodios que lo pareciesen, nacidos de los mismos sucesos que la verdad ofrece, y aun éstos limitadamente y con solas las palabras que bastan a declararlos; y pues se contiene y cierra en los estrechos límites de la narración, teniendo habilidad, suficiencia y entendimiento para tratar del universo todo, pide no se desprecie su trabajo y se le den alabanzas, no por lo que escribe, sino por lo que ha dejado de escribir".

Estos razonamientos son reticentes, como de costumbre en Cervantes, y su apología resulta ambigua. De querer hacerlo, bien hubiera podido aducir la autoridad de los preceptistas o poner en claro sus propios motivos artísticos. Pues hoy ya no cabe dudar del alcance estético del recurso en cuestión. Las novelas "sueltas o pegadizas" ingeridas en el texto de la historia principal cumplen la misma función que el juego del "teatro dentro del teatro" usado también por Cervantes y, en general, por los poetas dramáticos del Barroco. Y en la composición del *Quijote* sirven al propósito de multiplicar las perspectivas y prestar una ilusión de profundidad insondable a la realidad creada mediante esa complejísima estructura literaria en que el libro consiste.

Pero éste es un problema que concierne al *Quijote* más que a la novela intercalada, y nos proponemos considerar aquí *El curioso impertinente* como unidad autónoma.

146

Desde su aparición primera, este relato, cuyo caso "algo tiene de imposible" a juicio de su primer comentarista, el autor mismo hablando por boca del cura que lo acaba de leer, ha impresionado siempre la imaginación de los lectores, produciendo en ellos incluso una especie de fascinación y gran desconcierto. Las secuelas literarias que ha tenido, lo acreditan bien.

Observemos, por lo pronto, que en el uso corriente de la lengua inglesa aparece con cierta frecuencia la palabra *lothario* para significar—como el diccionario de Webster aclara—"a gay deceiver or seducer; libertine, rake": un alegre burlador o seductor; libertino, disoluto. Se dice, pues, "un lotario" tal como puede decirse "un quijote", "una celestina", "un donjuán", para caracterizar a determinado tipo humano; y el mismo diccionario explica que aquel nombre común procede del propio de Lothario en la pieza del dramaturgo inglés Nicholas Rowe (1673-1718), *The fair penitent* (1903).[1]

Ahora bien, esta pieza se dice inspirada en *The fatal dowry* de Philip Massinger (1583-1639), un drama de adulterio cuyo argumento poco tiene que ver con el de *El curioso impertinente* de Cervantes. Sin embargo

[1] En su edición de *Three plays by Nicholas Rowe* (1929), informa Sutherland: "Lothario's dashing villany so impressed his own and a succeeding generation of play goers that he gave his name to the whole genus of amorous rakes" ("La atrevida villanía de Lotario impresionó tanto a los espectadores de su generación y de la siguiente, que dio su nombre a la categoría entera de los amantes libertinos".)

de lo cual, un eco indubitable de la novela cervantina (o al menos, de su título) se encuentra en estos versos del tercer acto: "Away, thou curious impertinent, / And idle searcher of such lean, nice toys!" La frase está dirigida por el marido, Charalois, a un amigo oficioso que trata de ponerlo en guardia acerca de la conducta ligera de su esposa, Beaumelle; y los juegos leves y graciosos a que alude son los abrazos y besos ("one in another's arms, / Multiplying kisses") que ella cambia con su *chevalier servant* (pues la acción se sitúa en Dijon, ciudad francesa). A ese dicterio de *curious impertinent* dentro de una situación de adulterio se reduce todo el parentesco entre la tragedia de Massinger y el relato de Cervantes. En éste, el marido y el que luego será amante de su mujer, están unidos por una grande, estrecha y vieja amistad. En los dos dramas ingleses, por lo contrario, marido y amante eran enemigos entre sí, cada cual asistido por su amigo respectivo. El Lothario de *The fair penitent* no llamará "curioso impertinente" a Horatio, como Charalois a Romont, sino—más en consonancia con la realidad de los hechos presentados—"majadero oficioso" (*officious fool*) e "insolente monitor". Se ha borrado así la huella originaria de la novela cervantina que, por otra parte, vemos emerger de nuevo con el nombre, nada usual, de Lotario aplicado al amante adúltero.[2]

---

[2] En fecha tan temprana como 1611 (es decir, antes de publicarse la primera traducción inglesa del *Quijote*, hecha por Thomas Shelton, que había de aparecer en 1612), fue aprobada para su representación en Londres una pieza, que suele atribuirse a Massinger y se conoce bajo el título de *The second*

Respecto de Rowe, informa el doctor Johnson en su biografía del poeta que, habiendo solicitado algún empleo público del duque de Oxford, éste le encargó que

---

Maiden's tragedy, cuya trama secundaria utiliza el argumento de *El curioso impertinente*. No sólo toma de ahí el asunto, muchos de sus detalles y razonamientos completos, sino también el nombre de los personajes: Anselmus, Votarius y Leonela (la criada de Camila, quien en cambio está sólo designada como la esposa de Anselmus). Que el nombre de Lotario aparezca escrito *Votarius* en la edición de la Malone Society preparada por Horace Hart, puede deberse a una mala lectura del manuscrito. Yo no he podido examinar éste; y en los folios que dicha edición reproduce fotográficamente no figura escrito el nombre de dicho personaje. También pudiera ser que el error sea imputable al copista original, en cuyo caso pasaría a las tablas como Votarius.

Más adelante, en la tragedia de D'Avenant *The cruel brother* (1630), encontramos un Lothario, cuyo carácter nada tiene que ver con su homónimo cervantino. Y, sin embargo, su pergeño no permite dudar de que el autor se inspirara en el *Quijote*. Este Lothario, a quien se describe como "a country gentleman, / But now the court baboon; who persuades himself, / Out of a new kind of madness, to be / The Duke's favourite" ("un caballero campesino que es ahora el mandril de la corte; y a quien una nueva especie de locura tiene convencido de ser el favorito del Duque"), va acompañado siempre de su criado Borachio, "A bundle of proverbs, whom he seduc'd / From the plough, to serve him for preferment" ("un saco de refranes, a quien, para que lo sirva, ha sacado del arado con promesa de mercedes"). Muchos otros detalles lo acercan a Sancho, tanto que J. Maidment y W. H. Logan anotan en su edición de 1872: "That D'Avenant was acquainted with Cervantes may be safely inferred, for Borachio is quite an Italian Sancho Panza" ("Que D'Avenant estaba familiarizado con

149

aprendiera español; y añade que, "when, some time af-
terwards, he came again and said that he mastered it,
dismissed him with this congratulation: 'Then, Sir, I
envy you the pleasure of reading *Don Quixote* in the
original'" ("cuando, algún tiempo después, volvió y le
dijo que ya lo dominaba, lo despidió con esta felicita-
ción: 'Entonces, señor, le envidio el placer de leer *Don
Quijote* en el original'"); agregando todavía Johnson:
"Pope, who told the story, did not say on what occasion
the advise was given" ("Pope, que contó la historia, no
dijo en qué momento fue dado el consejo"). Y más adelante cita la primera biografía de Rowe por el doctor
Welwood, quien afirma que aquél entendía francés, italiano y español, y que hablaba corrientemente el primero
y bastante bien los otros dos.

No puede caber la menor duda de que tanto Massinger con su *curious impertinent* como Rowe con su *Lothario* tuvieron muy presente la obra de Cervantes al
pergeñar sus dramas. Lo interesante aquí, y lo que se

Cervantes puede afirmarse sin riesgo, pues Borachio es por
completo un Sancho Panza italiano"). De igual manera, Lothario es un don Quijote en caricatura bajo un nombre sacado
de *El curioso impertinente*.

De otras tres piezas inglesas que, en el siglo XVII, llevan a
escena el argumento de *El curioso impertinente*, a saber: *The
amorous prince*, de Aphra Behn; *The disappointment: or, The
mother in fashion*, de T. Southerne; y *The married Beau*, de
John Crowne, ninguna de ellas usa ni el nombre de Lotario ni
el de los demás personajes cervantinos, con excepción de la
última, donde aparecen *Camila* y su criada *Lionell*.

prestaría a sabrosas reflexiones de orden histórico-cultural, es la manera en que la interpretaron, o desinterpretaron, ambos autores.

Rowe (que quizá conocía también la escenificación de Guillén de Castro, donde Camila, como su Calista, había tenido amores con Lotario antes de que le dieran a otro por esposo) tiende en su obra a la moralización burguesa mediante el contraste con la bien avenida pareja conyugal de Horacio y Lavinia, por más que el epílogo en que esta última saca las consecuencias de lo ocurrido no resulte demasiado congruente con esa intención ejemplarizadora, que de todas maneras se diluye y hace inefectiva en razón del exotismo del ambiente representado. La acción se ha restituido a Italia (aunque esta vez tenga lugar en Génova y no ya en Florencia); y va a desenvolverse según las costumbres "italianas": Horatio califica a Altamont de "infamous, believing, British husband" ("infame, crédulo marido británico"), mientras que éste dirá más tarde a su esposa: "For thee I have/Forgot the Temper of Italian husbands,/ And Fondness has prevail'd upon Revenge" ("Por ti he olvidado el temple de los maridos italianos, y el cariño ha prevalecido sobre el rigor"). Las exigencias feroces del honor debían asumir frente a aquellos espectadores un aspecto insensato, casi delirante. Livina reflexionará en el epílogo que "Italian ladies lead but scurvy lives" ("las damas italianas sólo llevan unas vidas míseras"), y que es terrible el trato que se aplicaba a las adúlteras... En definitiva, la lección moral se anega en la extrañeza que ese trato implacable suscita.

Estas observaciones sobre el desviado, si no extraviado, ingreso de nuestro cervantino Lotario en calidad de tipo común dentro de la corriente de la lengua inglesa, y acerca de la manera oblicua, sesgada y absurda en que la novelita de Cervantes influyó sobre los dramaturgos británicos, no tienen otro propósito que el de subrayar con trazos llamativos este hecho: por obra de su magia artística, el "caso" de *El curioso impertinente* fue desde el comienzo mismo, y ha seguido siéndolo hasta ahora, capaz de captar la imaginación de los lectores y espectadores a lo largo de los siglos;[3] pero

[3] Aparte de la adaptación escénica de Guillén de Castro, hacia 1628 escribe Antonio Coello una pieza, *Peor es hurgallo*, cuya principal fuente de inspiración es también *El curioso impertinente*. En 1645 se publica en París, póstumamente, una comedia atribuida a un oscuro personaje, Brosse, hermano de cierto autor y director teatral, que adapta a la escena la novela de Cervantes bajo el título de *Le Curieux impertinent ou le jaloux*. Y corriendo el tiempo, ya dentro del siglo XVIII, Ph. Néricault Destouches haría a su vez otra adaptación, también titulada *Le Curieux impertinent*, que traslada la acción a París, cambia los nombres de los personajes y—siguiendo sin duda el juicio del cura al comentar la novela recién leída en el *Quijote*—convierte en galán y dama a quienes en ella eran marido y mujer.

Ese mismo siglo XVIII nos da en Italia una traducción de la comedia de Destouches, y luego una ópera cómica de Nicola Piccini, *Il curioso del suo proprio danno*, que se estrena en Nápoles en 1756. Mientras tanto suena en Inglaterra un nuevo eco muy atenuado, pero notablemente duradero en su efecto, de la novelita cervantina: la citada pieza de Rowe, estrenada en 1701.

al encandilarlos, esa aura mágica deslumbra y desconcierta a los intérpretes que tratan de reelaborarlo, impidiéndoles atinar con su cabal sentido. Pues esta novelita es en verdad una de las creaciones más ambiguas e insondables de su ambiguo e insondable autor.

Pese a los conocidos riesgos de la aventura, quisiera yo ahora, sin embargo, entregarme también a la fascinación de explorar un poco sus recónditos senderos. Y para ello voy a pasar por alto el problema—ya planteado a raíz de la publicación del *Quijote,* y hoy resuelto a satisfacción plena, no obstante la recurrencia casi mecánica de la vieja cuestión en la pluma de algunos comentaristas—acerca de la función que esta "novela intercalada" desempeña dentro de la estructura de la obra mayor, y pasaré así a considerarla como pieza autónoma, de igual manera que es lícito desglosar una

---

En el siglo XIX se registran en España otros dos casos, por lo menos, de adaptación teatral : *El curioso impertinente. Novela de Cervantes reducida a drama en cuatro actos y en verso,* por don Adelardo López de Ayala y don Antonio Hurtado (1853), y *Los dos curiosos impertinentes,* de don José Echegaray (1882).

Por último, el 3 de julio de 1937 se estrenó en París *Le Mari singulier,* una adaptación de *El curioso impertinente* hecha por Luc Durtain, en la cual el asunto de la novela cervantina aparece enmarcado, como en el *Quijote,* por la escena en que el ventero, el licenciado, Cardenio, Dorotea y Sancho están reunidos para leerla.

Par que nada falte, no hace muchos años se vio en una mediocre película mejicana modernizado el argumento de *El curioso impertinente.*

imagen de un retablo para estudiarla en su independencia (tal vez ha sido concebida y ejecutada de manera independiente por el artista mismo), sin negar por eso el carácter de unidad subordinada que dentro del retablo le corresponde. Y diré más: de igual modo que esa supuesta imagen consentiría ser referida y comparada a otras que el propio escultor hubiera tallado para un altar diferente, nos será permitido establecer una conexión de significado entre *El curioso impertinente* y la novela ejemplar de *El celoso extremeño,* conexión de la cual podría desprenderse algo así como un doctrinal cervantino del perfecto casado.

A su manera habitual, Cervantes nos ofrece dentro de la narración misma indicaciones suficientes acerca de la fuente en que se ha inspirado. Es la principal, en efecto, aquel a quien Lotario llama "nuestro poeta": Ariosto, en su *Orlando furioso.* Dos cuentos de intención concurrente, contenidos en los cantos 42 y 43 del poema, dan base al argumento. Alojado una noche Rinaldo a orillas del Po, en el palacio de un marido engañado, éste le cuenta de sobremesa sus desventuras, desde que una persona mal intencionada lo había inquietado a propósito de su mujer: "Ma che ti sia fedel tu non puoi dire / prima che di sua fe prova non vedi" ("Pero que te sea fiel tú no puedes decirlo antes de haber visto la prueba de su fe"). Esta prueba consiste para la ocasión en un vaso con la propiedad mágica de derramarse cuando quien intenta usarlo es un marido burlado. Tras pensarlo, Rinaldo declina por su parte la prueba, y dice: "ben sarebbe folle / chi quel, che non vorria trovar, cercasse" ("bien loco sería quien buscase aquello que no quisiera hallar"). Su huésped, cuyo único consuelo en la desgracia es ver que tantos cuantos han pasado por su casa en diez años, a todos se les ha derramado el vaso, declara: "Tu tra infiniti sol sei stato saggio / che far negasti il periglioso saggio" ("Tú entre infinitos has sido el único discreto que rehusaste hacer la peligrosa prueba"). Cervantes combina este cuento con el que, al día siguiente, durante una travesía por el Po, le cuenta el barquero a Rinaldo sobre un doctor Anselmo, víctima de igual desgracia. Este doctor, cuyo mismo nombre adjudica Cervantes al marido infeliz de su novela, es aquel a quien Lotario alude cuando, para disuadir al amigo de su deseo insensato, le dice: "Antes tendrás que llorar contino, si no con lágrimas de los ojos, lágrimas de sangre del corazón, como las lloraba aquel simple doctor que nuestro poeta nos cuenta que hizo la prueba del vaso, que con mejor discurso se excusó de hacerla el prudente Reinaldos, que puesto que aquello sea ficción poética, tiene en sí encerrados secretos morales, dignos de ser advertidos y entendidos e imitados".

Junto a esta fuente de inspiración, primordial y declarada, pone a contribución Cervantes para su argumento de *El curioso impertinente* otro tema literario, el de la amistad heroica, cuya tradición se mantenía viva en España desde que, a comienzos del siglo XII, lo introdujera la *Disciplina clericalis* de Pedro Alfonso. El segundo de los cuentos, orientales por su origen, que componen esta colección se refiere a un mercader de Bagdad que va a Egipto, donde traba amistad con un corresponsal suyo que, habiéndolo alojado en su casa, le da un trato espléndido. El visitante se enamora apasionadamente de una muchacha con quien su huésped iba a casarse, y éste, al darse cuenta, decide entregársela por esposa. Generosidad tanta será el preludio de otras peripecias a través de las cuales hay oportunidad para que la abnegación de los dos amigos se ejercite en competencia. Como en seguida se advierte, la huella de esta tradición literaria está muy atenuada en la novelita de Cervantes, cuyos personajes, Anselmo y Lotario, eran, en efecto, llamados "los dos amigos" por excelencia y antonomasia, siendo este último quien negocie en nombre de aquél su matrimonio con Camila. Pero no hay, en cambio, nada que se parezca a la cesión de la futura esposa, ni ello hubiera sido concebible siquiera en las circunstancias de la acción. Dentro del ambiente musulmán originario, el desprendimiento amistoso del comerciante egipcio implica un acto de liberalidad análoga a la que hubiera mostrado regalando a su amigo un esclavo muy estimado, un corcel o un galgo apreciadísimo. Pero en la sociedad cristiana, basada sobre un régimen de monogamia, y donde la posición de la mujer había sido exaltada mediante la secular construcción del amor cortés y neoplatónico, el acto de cederla tiene que resultar sencillamente absurdo.

Así se evidencia cuando comparamos la novela cervantina con la adaptación que de ella hizo al teatro don Guillén de Castro. Para prestar alguna medida de plausibilidad al oscuro deseo que el propio Anselmo considera en la obra narrativa "tan extraño y tan fuera del uso común de otros, que yo me maravillo de mí mismo", lo fundará Castro en los celos que el personaje siente al enterarse de que Lotario, sacrificando a su amistad los amores que sostenía con Camila, había pedido para él mano de la joven, en lugar de pedirla para sí mismo como antes se proponía. El comediógrafo recae con esto en la fórmula del cuento oriental; y hemos de reconocer que la abnegación de Lotario en la comedia resulta no sólo artificial y forzada, sino de todo punto insensata, pues no hay lealtad amistosa capaz de persuadir a nadie de que ceda la mujer con quien va a casarse sólo porque, viéndola a su regreso de un viaje, se ha prendado de ella el amigo ausente. Dados los supuestos socio-culturales del siglo XVI español, ello carece por completo de sentido.

Algunas otras fuentes se han indicado, con mayor o menor tino, para la novela de *El curioso impertinente,* entre ellas *El crotalón,* cuyo canto cuarto contiene, al final, la historia de Menesarco y Ginebra. Para esta historia usa Cristóbal de Villalón el asunto del vaso encantado, tal cual se encuentra en el poema de Ariosto. "Y fue que ella—dice—tenía una copa que hubo del demonio por la fuerza de sus encantamientos; la cual había sido hecha por mano de aquella gran maga Morganda; la cual copa tenía tal hado: que estando llena de vino, si bebía hombre al cual su mujer le era errada se le vertía el vino por los pechos y no bebía gota. Y si su mujer le era casta, bebía hasta hartar sin perder gota". Habiendo salido con bien de esta prueba, el marido insiste en su deseo de probar la fidelidad de su esposa, y entonces la maga que lo ayuda le hace repetir el truco de Céfalo en las *Metamorfosis,* ahora, por cierto, con el mismo resultado que en el poema de Ovidio... A este episodio de *El crotalón,* apuntado por Schevill, agregaría luego Juliá Martínez los cantos nono y décimo, donde, imitando a Luciano, presenta el autor un ejemplo de amistad extremada: entre otras muestras de ella, Alberto de Cleph resistirá con éxito el asedio a que lo tiene sometido la esposa de su amigo Arnao, la bella y apasionada Beatriz, quien repite con él—según ha anunciado Villalón en su prólogo—"la fuerza que hizo la mujer de Putifar a José". Como en otros episodios, el locuaz gallo pitagórico ingiere aquí una historia bíblica, aun cuando colocada fuera de contexto o, más bien, en un contexto diferente. Pero el tema de la amistad heroica, cuya persistencia hemos comprobado y del que ésta no pasa de ser una versión más, cumple función circunstancial en la obrita de Cervantes, mientras que la lubricidad de Beatriz y la virtud del casto José en *El crotalón* nada tienen que ver ni con Camila ni con Lotario.

Por otro lado, ¿qué necesidad hay de referirse, cuando de *El curioso impertinente* se trata, a la prueba del vaso encantado recogida por Villalón de Ariosto, cuando Cervantes mismo alude a ella remitiéndose a "nuestro poeta"? Si, como es muy posible y aun probable, leyó el libro del autor erasmista, y si su texto le brindó algunas sugestiones, esto no basta para reputarlo fuente de la novela intercalada en el *Quijote*. De hecho, el comienzo del cuento de Ginebra y Menesarco recuerda a otra de las novelas ejemplares: *El celoso extremeño*. En verdad, esa búsqueda de antecedentes ceñida a asimilar peculiaridades de la trama o argumento suele resultar tarea bastante fútil, pues la limitada variedad de las situaciones y relaciones humanas hará que muchas veces se repitan, sin que ello autorice a relacionar obras literarias coincidentes acaso en tal o cual detalle o aun en la línea general de su asunto, pero quizá muy diferentes en cuanto a su sentido íntimo. Seguramente pueden hallarse, en Boccaccio y en otros italianos, elementos narrativos susceptibles de ser aducidos e invocados como "fuente" de *El curioso impertinente*; pero la novela de Cervantes trasciende con su significado profundo cualquier encuadre anecdótico.

Para elucidar debidamente dicho significado trascendental es imprescindible, en cambio, la mención de una historia que sin duda constituye su más remoto punto de partida: la historia del rey Candaules, que Herodoto relata en los capítulos 8 a 12 de su libro I, y que puede suponerse recogida por él de alguna tradición ya existente. Candaules perdió la corona y la vida "por un capricho singular": cuenta Herodoto que propuso a su favorito Gyges, y le obligó por último cuando éste se resistía, a esconderse en la alcoba regia para que admirara, desnuda, a la reina, su mujer. Habiéndose dado cuenta la reina, y afrentada por la conducta de su esposo, disimuló primero, y luego exigió a Gyges, bajo pena de muerte, que, asesinando a Candaules, lo suplantara

159

en el reino y tálamo nupcial. En este venerable relato —que sería materia de elaboraciones literarias tan tardías como el cuento de Th. Gautier *Le Roi Candaule,* o el de E. J. Putnam, *Candaules' wife*—están contenidos los dos elementos esenciales de *El curioso impertinente*: el "capricho singular" que inicia la acción sobre la base de un impulso psíquico morboso, y una lección moral que se desprende de la conducta aberrante del personaje.

Pues—conviene insistir en ello—se trata aquí de una novela "ejemplar". En otro escrito he razonado acerca de la sinceridad con que Cervantes aplicó este adjetivo a la colección de sus novelas en 1613. Moralizador es sin duda el fin que persiguen, aunque las pautas de su moral no se encuentren previamente promulgadas en un código abstracto, sino que deban deducirse del escrutinio directo, siempre problemático, de la conducta humana; esto es, ser leídas en el libro de la naturaleza. "Éste fue el fin que tuvieron todos, nacido de tan desatinado principio", son las palabras con que se concluye el "caso" de *El curioso impertinente* y se cierra la novela. Con referencia oblicua al cuento de Ariosto, ¿no había dicho Lotario a su amigo que, "puesto que aquello sea ficción poética, tiene en sí encerrados secretos morales, dignos de ser advertidos y entendidos e imitados"? Una cierta conducta ha de tener como resultado natural unas ciertas consecuencias, de acuerdo con las leyes de la condición humana: tal es la doctrina de Cervantes.

Sólo que dichas leyes se encuentran inextricablemente tejidas en la trama complejísima de la realidad viva, y es ahí donde Cervantes quiere que aprendamos a descubrirlas para nuestro escarmiento. Por eso, sus novelas presentan "casos", son novelas ejemplares en un sentido muy preciso, aunque en vez de ofrecer cosechada la doctrina dejen al lector el cuidado de obtenerla por su propia diligencia, reflexionando sobre las condiciones de la naturaleza humana según se desprende del juego de la acción. La conducta de los hombres, que procura siempre orientarse hacia los valores del espíritu donde halla justificación transcendental, está movida o, cuando menos, mediatizada por impulsos psíquicos, gran parte de los cuales operan desde la sombra de la subconsciencia. Y estos impulsos oscuros, en conflicto muchas veces con los valores reconocidos y acatados, suelen ser los que inducen al error de la conducta para inquietud, estupefacción y dolor del agente mismo, quien a la postre reconocerá como justa y merecida la pena que, en nuestro autor, acompaña a la culpa y la sanciona de modo indefectible. Esto, que puede aseverarse en términos generales con respecto a la obra cervantina, se aplica de modo especial a *El curioso impertinente,* donde los móviles subconscientes que llevan al "desatinado principio" y desencadenan la acción son de un carácter cuya turbiedad los hace en absoluto inconfesables. No ya Anselmo, que obedece a ellos, ni su amigo Lotario o su esposa Camila, pero tampoco los lectores alcanzan a "entender" con claridad, esto es, a percibir en el nivel de la conciencia, la índole mórbida de su curiosidad impertinente, que resulta así, a más de vituperable, inexplicable por completo. Hoy en día, cuando tanto se usa y abusa del psicoanálisis, saldría demasiado barato el diagnóstico del torturado y desdichado esposo, a quien fácilmente se le puede imaginar como protagonista de una novela muy al gusto de nuestro tiempo. Pero las "explicaciones" científico-literarias, ¿qué tienen que ver con la creación maravillosa de Cervantes, con esa apretada estructura poética donde todo concurre y está organizado en una armoniosa síntesis intuitiva, y donde las fuerzas demoníacas cuya presencia es tan decisiva aparecen actuando desde la sima y pueden así perturbar el orden moral con tanto más nociva eficacia cuanto que permanecen desconocidas? Traerlas a la superficie equivaldría a eso, a superficializar el sentido de la obra, reduciendo el problema ético al nivel de la patología y haciendo del caso moral un caso clínico. Pero si por otra lado, al tratar literariamente el caso de *El curioso impertinente,* se prescinde del fondo abismático sobre el que Cervantes supo montarlo, es inevitable que pierda su profunda verdad y deje de ser convincente un argumento dominado ahora por ese "algo de imposible" que señalaba el cura. Tal ocurre, en efecto, tan pronto como cae en manos ajenas al artista supremo: la suya, maestra, acuñó una forma, única en su perfección, que sometida a versiones ulteriores, aun cuando sean—como alguna lo es—de alta calidad literaria, queda desconcertada y de un modo u otro renqueante.

Si, por vía de experimento, comparamos ahora la novela cervantina con la excelente comedia donde, escenificando su asunto, rindió homenaje Guillén de Castro a la invención de *El curioso impertinente,* acaso las desviaciones impuestas al argumento por el adaptador valenciano puedan ofrecernos alguna pista para descubrir mediante el contraste los recursos que Cervantes utiliza en su singularísima creación. Por supuesto, los puntos en que el autor teatral se separa del novelista obedecen en parte a las exigencias técnicas distintas de la escena y del relato. Pero sólo en parte, pues hay también alteraciones cuya intención clara es rectificar algo que, sin duda, le parecía extraño o chocante a Castro en la obrita de Cervantes, y que desea presentar a su público bajo forma más aceptable; es decir, más convencional.

Hagamos constar ante todo que la comedia es una pieza muy linda, concebida y construida de manera admirable, y cuyas divergencias respecto del relato original pueden defenderse como atinadas y justificarse con muy buenas razones. Algunas de aquellas—queda dicho—responden a las exigencias de la escenificación, o cuando menos están destinadas a enriquecer decorativamente el decurso de la comedia. Así, los comienzos respectivos de los actos primero y tercero, este último con la deliciosa intervención de la niña Belucha, nos sumergen en una atmósfera lopesca de levedad poética y —dándole su mejor inflexión a esta palabra—teatral; mientras que la escena del sueño fingido por la Duquesa nos recuerda a Tirso en uno de sus más felices momentos. En suma, la pieza es excelente; está muy bien conseguida la escenificación del cuento, y toda la trama aparece urdida con delicadeza y brío.

Pero hay una divergencia principal que, sin duda,

debió de introducirse con la intención de mejorar la historia en su estructura interna, haciendo algo más comprensible para los espectadores el extraño deseo que a Anselmo le apremia de poner su mujer a prueba, así como el hecho de que la virtud de Camila sucumba. Para ello hace Guillén de Castro que ésta, antes de que la casaran con el otro, haya sido cortejada por Lotario —la primera escena de la comedia es, en efecto, una serenata que él le ofrece en vísperas de pedir su mano—; de modo que la aparición de Anselmo, ausente entre tanto de Florencia, vendrá a interrumpir unos amores cuyo curso se prometía dichoso. Pues tan pronto como Anselmo ha visto a Camila y queda prendado de ella, Lotario, sacrificando su amor en aras de la amistad, pedirá, no para sí como se proponía, sino para su amigo, la mano de quien estaba destinada a ser su propia esposa. Y de este modo, cuando la curiosa impertinencia del marido los coloque en la difícil situación que es clave de la historia, Lotario y Camila serán, según las nuevas circunstancias creadas por Castro, dos antiguos amantes frustrados cuyos sentimientos están reprimidos en atención a un deber más alto: el que impone la amistad al primero, y la fidelidad—el honor—a la segunda. Su caída resultará así muy explicable y hasta digna de disculpa, y el desenlace feliz—matrimonio de los antiguos y nuevos amantes tras la muerte del impertinente curioso—habrá sido preparado a entera satisfacción.

Lo que con ello se satisface, sin embargo, es la retórica de las situaciones y de los sentimientos convencionalmente aceptados, creando un contexto de verosimilitud superficial a expensas de una verdad humana, psíquica y moral más profunda, aunque desde luego inquietante, y tanto que quizá el dramaturgo, como otros después, ha rehuido el tomar conciencia de ella.

Es muy probable que la entrega de Camila a los requerimientos del amigo de su esposo, tal cual se produce en la novela de Cervantes, lesionara las expectativas convencionales de la época. No se suponía que una dama pudiera sucumbir sino a los nobles impulsos del amor, cuya fulguración platónica puede herir, eso sí, tan a primera vista y con tanta intensidad como en el que Guillén de Castro le hace sentir a Anselmo cuando, a las puertas de la iglesia, divisa la belleza de Camila. En la novela de Cervantes el amor de ésta hacia Lotario no nace de un Eros incontrastable; es, al contrario, una pasión pecaminosa, y que por lo tanto no podría conducir a término feliz; pero, pese a todo, una pasión tan comprensible que el ánimo del lector se siente movido a compasión muy honda. ¡Con qué sutil perspicacia, con qué penetración del alma humana y con qué absoluto dominio de los recursos expresivos nos presenta Cervantes el caso de esos dos seres, jóvenes y atractivos, Lotario y Camila, entre quienes se interpone una consideración abstracta del deber, pero a quienes mantiene juntos, empujándolos el uno hacia el otro con obstinada insensatez precisamente aquella persona, Anselmo, a quien se refiere y en quien encarna ese deber abstracto de fidelidad amistosa y conyugal! Con tan segura y delicada mano está diseñada la lucha entre los preceptos éticos y la atracción natural despertada, encendida y atizada por el marido imprudente, que el momento de la caída, lejos de parecernos precipitado, se nos aparece como necesario e inevitable tras ese prolongadísimo diálogo de las mentes, un día y otro obsesionadas por la misma idea: "porque si la lengua callaba, el pensamiento discurría", nos dice el autor. El proceso íntimo de Lotario está analizado con minucia: "Mirábala Lotario en el lugar y espacio que había de hablarla, y consideraba cuán digna era de ser amada", etc., hasta terminar el largo párrafo con la reflexión de que "más había sido la locura y confianza de Anselmo, que su poca fidelidad, y que si así tuviera disculpa para con Dios, como para con los hombres, de lo que pensaba hacer, que no temiera pena por su culpa". En cambio, del rendimiento de Camila sólo se nos da noticia sumaria—aunque retóricamente reiterada: "Rindióse Camila; Camila se rindió"—, dejándonos conocer más tarde las conturbaciones de su ánimo en las frases que dirá a su criada: "Corrida estoy, amiga Leonela, de ver en cuán poco he sabido estimarme, pues siquiera no hice que con el tiempo comprara Lotario la entera posesión que le di tan presto de mi voluntad ..." Con finura insuperable, y a través de señas sutilísimas, nos revela Cervantes el matiz de los estados de ánimo por los que sus personajes pasan. Cuando Lotario tiene que engañar al amigo, a quien ya ha traicionado, con una información falsa sobre la firmeza de Camila, el mentiroso muestra su embarazo acudiendo a formas impersonales: "Las palabras que le he dicho se las ha llevado el aire, los ofrecimientos se han tenido en poco, las dádivas no se han admitido, de algunas lágrimas fingidas mías se ha hecho burla notable". Mientras que los sentimientos vivos del nuevo amante hacia la mujer que ha hecho suya van a vibrar en seguida con un tono de impaciencia frente al marido estúpido: "Vuelve a tomar tus dineros, amigo ... , que la entereza de Camila no se rinde a cosas tan bajas como son dádivas ni promesas".

Prescindiendo, pues, de cualquier idea convencional, el adulterio, según Cervantes nos lo presenta, resulta muy explicable en términos humanos. Pero ¿y la conducta de Anselmo? ¿cómo puede entenderse? El autor insiste mucho en evidenciar la índole insólita y absurda de su deseo haciendo que el propio Anselmo, al comunicárselo a Lotario, lo califique de "tan extraño y tan fuera del uso común de otros, que yo me maravillo de mí mismo"; sobre lo cual redundará Lotario al contestarle que "va tan descaminado y tan fuera de todo aquello que tenga sombra de razonable" que le parece desatino. Para paliar éste, Guillén de Castro arregla las cosas, al adaptar el argumento en su comedia, de manera que la ocurrencia extravagante de Anselmo encuentre alguna justificación más o menos comprensible. El mismo cambio destinado a explicar la caída de Camila en adulterio—o sea, sus amores previos con Lotario—va a servirle también para prestar ciertos visos de razonabilidad a la increíble demanda del marido. Una vez casado Anselmo, su amigo le da a conocer los antecedentes:

> —*Agora que te has casado,*
> *¿sabes, Anselmo, con quién?*
> —*Con mujer que tú me has dado,*
> *que eso basta.*
> —*Dices bien,*
> *pues que por mujer te di*
> *la misma que yo quería,*
> *que en el punto que la vi*
> *en tu pecho, no fue mía*
> *sino tuya.*
> —*¿Qué te oí?*
> *Lotario, ¡no me dijeras*
> *con qué mujer me casaba!*

De ahí nacen sus celos ("Celos me abrasan el alma"), y la prueba que quiere hacer de la virtud de Camila:

> *Tú has de probar si es mi esposa*
> *tan honrada como bella,*
> *dándole a tu amor fingido*
> *extremadas apariencias,*
> *que si de ti se resiste,*
> *a quien quiso, cosa es cierta*
> *que podré vivir el hombre*
> *más contento de la tierra ...*

La prueba es, sin duda, temeraria, pero consiente siquiera formulación racional en el nivel de la conciencia; mientras que el Anselmo cervantino sabe y declara que está obedeciendo a un deseo "extraño" y "fuera del uso

168

común", y termina por reconocer que ese deseo es compulsivo y enfermizo: "veo y confieso—dice—que ... voy huyendo del bien y corriendo tras el mal. Presupuesto esto, has de considerar que yo padezco ahora la enfermedad que suelen tener algunas mujeres, que se les antoja comer tierra, yeso, carbón y otras cosas peores, aun asquerosas para mirarse, cuanto más para comerse; así que es menester usar de algún artificio para que yo sane ..." Anselmo no es capaz de entender lo que le pasa: vive despechado y desabrido porque—explica a su amigo—"no sé de qué días a esta parte me fatiga y aprieta un deseo tan extraño ... que yo me maravillo de mí mismo, y me culpo y me riño a solas, y procuro callarlo y encubrillo de mis propios pensamientos"; pero nosotros, los lectores, podemos bien barruntar la índole de ese turbio deseo, porque Cervantes nos ha provisto de claves, aunque sutiles, suficientes para entender los movimientos de su oscura conciencia.

La comparación con la comedia de Guillén de Castro puede sernos útil también en este aspecto. Ciertamente Cervantes había tomado como punto de partida para su novela el lugar común de la amistad heroica, tan favorecido en la literatura de aquellos tiempos. Anterior a 1612 es, por ejemplo, la comedia de Tirso *Cómo han de ser los amigos,* cuyo protagonista aclara el significado de su divisa añadiéndole esta letra:

> *Vuestra afrenta siento, Amor;*
> *mas perdonad, que conmigo*
> *puede más que Amor, mi amigo.*

Como este don Manrique, de Tirso, el personaje de Castro sacrifica su amor en aras de la amistad hacia Anselmo; pero debemos reconocer que la actitud y conducta del Lotario de don Guillén resultan menos convincentes que las de aquel personaje de fray Gabriel. La abnegación de Lotario en la comedia es bastante artificial y forzada, pues no hay lealtad amistosa capaz de persuadir a nadie de que ceda la mano de la mujer con quien va a casarse, sólo porque, viéndola a su regreso, se ha prendado de ella el amigo ausente. Al hacer que así ocurra, la verosimilitud que Castro había ganado a favor de la moralidad convencional de Camila y Lotario, la pierde por otro lado: el comportamiento inicial de su Lotario carece de sentido, pues ningún deber de amistad para con Anselmo le obligaba a sacrificarle su propio amor, ni existe aquí un verdadero conflicto como en la comedia de Tirso. En cuanto a la intensidad de la relación afectuosa que liga a los dos amigos es algo que se nos ha presentado en el vacío, como un dato abstracto, sin que nada venga a sustanciarla en el curso de la comedia, salvo el propio sacrificio amistoso, exorbitante y demasiado gratuito.

De muy distinta naturaleza es la relación de "los dos amigos" en la novela cervantina. Aquí la realidad del vínculo se hace evidente a los ojos del lector, ante los cuales descubre el novelista con cuidado sumo sus raíces psíquicas más soterradas. Anselmo, "algo más inclinado a los pasatiempos amorosos", supedita por entero su voluntad a la del cazador Lotario; tanto, que cuando se determina a pedir como esposa a Camila "con el parecer de su amigo Lotario, sin el cual ninguna cosa hacía", será éste quien lleve la embajada y quien concluya el negocio. A partir de aquí, el autor va a hacernos ver cómo germina ese extraño y morboso deseo del recién casado, que él mismo comparará —¡cuán significativamente!—a los antojos de las preñadas. Como su amigo hubiera empezado a retraerse, discreto, "Notó Anselmo la remisión de Lotario, y formó dél quejas grandes, diciéndole que si él supiera que el casarse había de ser parte para no comunicalle como solía, que jamás lo hubiera hecho": ¡nada menos! Innecesario es subrayar las palabras. Lo primero que le exigirá, pues, es que vuelva a la intimidad antigua, ahora con el nuevo matrimonio. Y como, discreto siempre, Lotario rehúye la frecuentación de la casa, disculpando con pretextos varios el incumplimiento de lo prometido, lo asediará con su insistencia. "Así que, en quejas del uno y disculpas del otro se pasaban muchos ratos y partes del día". A raíz de tanto porfiar viene por fin la petición asombrosa de que corteje a Camila para ponerla a prueba: "quiero, ¡oh amigo Lotario!, que te dispongas a ser el instrumento que labre aquesta obra de mi gusto; que yo te daré lugar para que lo hagas, sin faltarte todo aquello que yo viere ser necesario para solicitar a una mujer honesta, honrada, recogida y desinteresada"; y "has de entrar en esta amorosa batalla, no tibia ni perezosamente, sino con el ahínco y diligencia que mi deseo pide".

Que este deseo es de una vehemencia incoercible, ya lo hemos podido advertir. Ni Lotario ni Camila consiguen esquivar la presión creciente a que los somete Anselmo. "Bien está ..., hasta aquí ha resistido Camila a las palabras; es menester ver cómo resiste a las obras"... Y, encerrado en un aposento, "por los agujeros de la cerradura estuvo mirando y escuchando lo que los dos trataban". Todavía después de asegurado —aunque ahora falsamente—de la virtud inconmovible de su mujer, vuelve a rogar al amigo "que no dejase la empresa, aunque no fuese más de por curiosidad y entretenimiento"; y hasta se ofrece a escribirle "algunos versos en su alabanza"... Cervantes—repito—nos indica con las medias palabras que al buen entendedor deben bastarle y, en definitiva, con la necesaria claridad, cuáles son las fuentes del extraño deseo que fatiga y aprieta al desdichado Anselmo, aquello que le hace culparse y reñirse a solas procurando callarlo y encubrirlo a su propio pensamiento; y no hemos de incurrir nosotros en las fáciles artes de la psicología profunda para intentar el análisis de su personalidad. Análisis, por lo demás, ocioso, ya que el novelista ha entregado a la intuición de sus lectores todos los elementos de juicio necesarios para comprender su caso, por anómalo que sea, trazándolo con rasgos de una valentía—y de una sobriedad que intensifica aún la penetración del estilete—no emulada ni siquiera por los grandes maestros del siglo XIX en sus más arriesgados buceos anímicos.

Pero debo insistir en lo dicho al comienzo: el interés principal de Cervantes no está dirigido hacia lo psicológico, sino que apunta a lo moral: se propone

172

ofrecernos una lección de prudencia y sabiduría humana en cuyo fondo late la idea de que es vano cualquier intento de cancelar la libertad del prójimo (en este ejemplo concreto, pretender una garantía absoluta sobre la futura conducta de la esposa); y por eso construye su fábula apoyado, sobre todo, en el *Orlando furioso,* donde, como ya vimos, se encuentra predicada una norma de serena y discreta confianza:

> *Tu tra infiniti sol sei stato saggio*
> *Che far negasti il periglioso saggio.*

("Tú entre infinitos has sido el único discreto que rehusaste hacer la peligrosa prueba".)

En el poema de Ariosto, tanto la curiosidad del caballero con quien se encontró Rinaldo como, más adelante, la del doctor Anselmo (Anselmo se llamará también el personaje inventado por Cervantes) es impertinente y resulta castigada, no menos que—para mencionar otro antecedente—la del mitológico Céfalo en Ovidio. Pero el planteamiento de un problema moral sin base en la realidad próxima de una situación viva encarnada en destinos humanos individuales (según se encuentra en el *Orlando furioso,* para no hablar de la libérrima atmósfera poética de las *Metamorfosis*) no corresponde a la manera de Cervantes ni a los caracteres de su nueva novelística, cuya intención es extraer un conocimiento de alcance universal sobre la naturaleza humana a partir de experiencias concretas, particulares y únicas. Sus personajes no son dioses ni están colocados en un ambiente mágico, sino que pertenecen al orden de lo cotidiano, donde actúan movidos o mediatizados por los impulsos y pasiones propios de nuestra común condición pecaminosa, aunque siempre bajo la orientación de valores espirituales. De aquí la exigencia de proveer a su comportamiento de estímulos psíquicos suficientes, capaces de hacer inteligible el error moral de la conducta, ya que de otro modo poca ejemplaridad puede tener para el hombre moderno el castigo de actos ajenos a su mundo de experiencias y representaciones. Por otra parte, en el caso del curioso impertinente ese error de la conducta es tal, que se resiste a toda posible racionalización. Si la conducta de Anselmo se manipula para hacerla de algún modo explicable, según ocurre en la versión dramatizada de Guillén de Castro, donde los celos del marido se fundan en la noticia de los previos amores entre Camila y Lotario, entonces los términos del problema se hacen dudosos, y éste queda oscurecido; pues, en efecto, el error se ha desplazado hacia Lotario y hacia una situación precedente (¿por qué hubo de ceder a su amigo la mano de su amada?), con lo cual se desenfoca la cuestión, y no hay justicia poética en un desenlace donde, si Anselmo muere, los adúlteros alcanzan el triunfo de un final feliz.

Cervantes había sabido evitar esas nocivas incongruencias mediante el genial recurso de llevar las motivaciones de Anselmo al plano subconsciente, haciendo que sus deseos sean muy imperiosos, en verdad com-

174

pulsivos, y al mismo tiempo impenetrables para su propia mente. De este modo, debe luchar contra las potencias del mal alojadas en el fondo de sí mismo.

Por supuesto, no le faltaban a Cervantes antecedentes para esta solución en los orígenes literarios de su argumento. ¿Quién duda de que el "capricho" del rey Candaules, empeñado—según el relato de Herodoto que se considera fuente primera de esta historia—en que su favorito Gyges vea y admire desde un escondite en la alcoba la belleza desnuda de la reina cuando ésta se ha desvestido y se dirige al lecho conyugal, es un deseo sexualmente perverso? El escritor griego se había limitado a presentar los hechos, acentuando tan sólo la insistencia autoritaria del rey y la desesperada resistencia del favorito, mientras que Cervantes elabora con cuidado primoroso la relación entre los dos amigos, el débil y sensual Anselmo, supeditado siempre, y Lotario, el deportista, para hacernos asistir, tan pronto como la presencia de Camila ha roto el tenso equilibrio emocional de su amistad, a ese proceso enfermizo en que la trama de la novela consiste, y durante el cual pretenderá conseguir el nuevo esposo satisfacción vicaria a través de su mujer (carne de su carne en virtud del matrimonio) para los turbios deseos que hasta entonces había mantenido larvados o, mejor dicho, sublimados en las formas nobles de la camaradería.

Pero todo esto, que en un autor de nuestros días sería el centro de interés para cualquier ficción novelesca o dramática, en la obra de nuestro clásico, donde sirve de subsuelo al problema ético que nos plantea, queda implícito. Se trata de un problema de conducta en el matrimonio, con referencia a las normas que deben regirlo: ¿cuál ha de ser la actitud del marido, jefe de la casa, frente a la expectativa legítima de la fidelidad que su esposa le debe? ¿tratará de asegurarse esa fidelidad, como el protagonista de *El celoso extremeño,* mediante los recursos mecánicos de la vigilancia y el encierro? ¿o, al contrario, someterá su mujer a pruebas extremas para convencerse de su temple, como hace Anselmo? El error de ambos extremos está representado a lo vivo (no predicado con ayuda de ilustraciones anecdóticas) en una y otra novelas, donde el comportamiento de los maridos respectivos responde a condiciones distintas de la débil naturaleza humana. Es muy propio, en efecto, del viejo Carrizales, que conoce bien su flaqueza, tratar de suplirla con un exceso de precauciones externas; y por otra parte—ya lo hemos visto— será la índole morbosa del desdichado Anselmo lo que le llevará al extravío de exponer a Camila, empujándola a los brazos de Lotario. Arraigado en tales profundidades y alimentado de semejante légamo, el caso moral que su conducta plantea es tan neto y presenta líneas tan precisas como el apólogo de Ariosto; pero al mismo tiempo viene dramatizado en una experiencia humana a la que podemos tener acceso directo por vía intuitiva, sin necesidad de aceptar instancias mágicas, con lo cual habrá de tocarnos más de cerca y ofrecernos más eficaz ejemplaridad. La doctrina se desprende inmediatamente de la acción. Y ésta, que arranca de los confusos abismos subconscientes, se levanta con admi-

176

rable vuelo hasta la regla ética y, por encima de ella, alcanza el principio metafísico que la fundamenta y sostiene; a saber, que la libertad del ser humano es inviolable. Vano fue el intento de poner guardas y echar cerrojos a la virtud de Leonora, "porque si yo no me guardo, / no me guardaréis". Pero aún más insensato es el propósito de adquirir una garantía absoluta de la virtud futura de Camila, quien, cual toda criatura de Dios, puede a cada momento caer o levantarse; pues "Es de vidrio la mujer; / pero no se ha de probar/ si se puede o no quebrar, / porque todo podría ser".

CERVANTES, ABYECTO Y EJEMPLAR

Un artículo de Américo Castro sobre "La ejemplaridad de las novelas cervantinas", en la *Nueva Revista de Filología Hispánica,* me empuja otra vez hacia la cuestión del escritor como hombre viviente, y ahora a propósito de uno cuya personalidad tan desdibujada ha sido por la más insufrible beatería, dentro de una especie de halo mítico. Precisamente, repasando días atrás unas notas, remanente de lo que sobre él escribí con ocasión del último centenario, he hallado este apunte, bajo el epígrafe de *Cervantes, abyecto* : "Ocurre con Cervantes que cuantos problemas le conciernen son llevados por la devoción a un paroxismo de estupidez. Las discusiones, por ejemplo, en torno a su carácter, con tesis extremas y simplistas, me asombran, porque leer a un escritor es conocerlo más que se conoce al común de los conocidos, es ser sus íntimos; y quien carece de penetración para las almas, vano será que discuta; pero quien la tiene, tampoco necesita discutir, pues sabe con evidencia. Juzgar del carácter por actos inciertos, poseyendo tal evidencia, es disparate; antes será ella quien ilumine la conducta, si no se quiere reducirla a las normas impersonales de un código. No veo yo incongruencia alguna entre la ternura de alma, honestidad, decoro y nobleza que trasunta cada palabra de Cervantes y las *irregularidades* o aun la abyección que algunos le reprocharon y de que otros todavía hoy se hacen escandalizado

179

eco, y a cuyo borde es seguro que estuvo, aunque es también seguro que no se despeñó en su sima: el tono de su voz nos lo declara. La templada blandura de su corazón, una astucia incansable en la lucha contra la miseria, contra el mal, lo preservaban de lo tenebroso. Nadie está libre de poner los pies en un lodazal; pero hay quien, una vez caído, se encenaga hasta por soberbia (la soberbia satánica), y hay quien, sintiéndose limpio por dentro, procura no enfangarse sino lo indispensable, y jamás pierde la esperanza de nueva pureza, de redención. Cervantes hubiera sido de los que consiguen a costa de menor daño salir de un campo de concentración, como salió entonces del cautiverio argelino ... Pero el mundo entero es campo de concentración, valle de lágrimas, y acaso le tocó soportar también todas esas otras ignominias de que se habla".

El trabajo de Castro a que me refiero interpreta la pretendida e insistida ejemplaridad de las *Novelas ejemplares* a la luz de la situación vital—en conjunción biográfica e histórica—de un Cervantes ya viejo, que, estimado, sostenido y aplaudido al fin por un público de grandes señores, escribe pensando en sus lectores actuales—¡qué apasionante el tema de la relación entre el escritor y su púbico!—, e impone a su obra un sesgo adecuado a las exigencias del presente, moderando el impulso de su rebeldía pretérita, o disimulándolo, porque ahora se siente integrado, "con conciencia de ser miembro responsable de una comunidad en la cual él significa algo".

Una vez más, inquieta, sugiere, más que convence,

la tesis de don Américo. Que la ejemplaridad de las *Novelas ejemplares* fuera una finta, que estas obras de arte sean en el fondo indiferentes a la finalidad moralizante, puede ser cierto, si se entiende tal moralización al modo de los castigos, ejemplos y adoctrinamientos de la tradición medieval; y tampoco es difícil admitir que Cervantes, tan aficionado a los recursos prácticos, intelectuales y estéticos del equívoco, lo jugara en su prólogo a las *Novelas ejemplares,* como tantas otras veces, para engaño de bobos y salvaguardia propia contra ellos. Pero el ironista—y más siendo un espíritu tan rico—miente con la verdad; sus novelas son ejemplares, sí; mas no porque se propongan adoctrinar en forma docente y monitoria; lo son porque presentan la vida dentro de estructuras congruentes, de valor arquetípico, donde los dechados morales corresponden a una cabal concepción de la naturaleza humana y del mundo en torno. En este sentido más alto y profundo son ejemplares, son morales, y no pueden inducir a malos deseos ni pensamientos. Con sinceridad absoluta pudo proclamarlo, hablando consigo mismo, su autor. (Y en igual sentido, no resulta menos moral, a pesar del atrevimiento requerido por su índole estética, el entremés de *El viejo celoso* que la novela de *El celoso extremeño.*) Si no fuera por no extenderse, "por no alargar este sujeto, quizá te mostrara —dice a su lector Cervantes—el sabroso y honesto fruto que se podría sacar, así de todas juntas como de cada una de por sí". Castro pasa por alto esa doble posibilidad interpretativa de las *Novelas ejemplares,* separadas y en su conjunto, como obra unitaria, unidad ésta que, sin duda, proviene de su carácter ejemplar, no en vano y por finta llevado al título. Y, sin embargo, es una indicación, una seña de inteligencia, que Cervantes nos está haciendo para que busquemos ahí aquella moralidad más alta y profunda que él conoce, pues la ha puesto debajo de su circunstancial y sólo en tal sentido insincera protesta. Se trata de "verdades que dichas por señas suelen ser entendidas": el lector será quien deba descubrirlas, sacando el "fruto sabroso y honesto", es decir, desentrañando las pautas racionales de conducta que se ocultan en la textura de las novelas, donde la existencia humana, hecha de impulsos, deseos, motivaciones diversas y, con triste frecuencia, erróneas o culpables, se encuentra representada. Todavía en su *Viaje del Parnaso* volverá a insistir Cervantes: "Yo he abierto en mis *novelas* un camino / por do la lengua castellana puede /mostrar con propiedad un desatino".

"Mostrar con propiedad un desatino" es evidenciar los efectos lamentables de todo comportamiento humano que se aparta de lo exigido por la naturaleza racional; es obtener y destacar el contenido de la ley moral a través de una contemplación compasiva del error, en lugar de condenar éste a partir de normas externas, proclamadas autoritariamente. Por eso el castigo de la culpa es inmanente a ella en las novelas cervantinas.

Para poder pasear su locura medieval por el mundo—un mundo ya moderno—, tuvo don Quijote, aconsejado por su padrino el ventero, que llevar en su segunda salida dineros que allanarían sus dificultades en más de un trance. Veinticinco años después, otra heroína de novela, *La niña de los embustes,* la pícara *Teresa de Manzanares,* de Castillo Solórzano, viaja provista de letras de cambio. Tiene su dinero puesto en el Banco, dado a los Fúcares, es decir, a los Fugger, aquellos célebres banqueros alemanes, de cuya casa había sido deudor el emperador Carlos V. "El dinero que tenía en los Fúcares lo acomodé en letras para Córdoba", nos dice la pícara Teresa; y con ellas y un poco más emprende su viaje... Pero al pasar por Sierra Morena—allí mismo donde Sancho se había encontrado, dentro de la maleta alzada por su amo, "un buen montoncillo de escudos de oro"—le salen al paso ladrones. "Del pecho me quitaron una cruz de oro y las letras que llevaba de mil escudos para Córdoba, diciendo el mayor de ellos: '¿Hase visto en lo que han dado estos caminantes: en traer su dinero en papeles?...' " Los bandoleros, rabiosos, rompen las letras que tanto perjudican a su ganancia. Pero ¿qué le puede importar a ella? "El faltarme las letras—explica—no me daba pena, pues con pedir otras estaba remediado". Al novelista le encanta, puede verse, la comodidad del sistema: hace su propaganda.

183

¡Letras de cambio en aquel Siglo de Oro! Carrizales, *El celoso extremeño,* había llegado de América cargado de metales preciosos; traía más de "ciento cincuenta mil pesos ensayados"; los traía "en barras de oro y plata", y este metálico lo abruma: no sabe qué hacer con su dinero. Pero hay banqueros—alemanes, genoveses—; los banqueros toman el oro a cambio, y así el circulante aumenta. Hay mucho dinero en circulación; nadie trabaja. En la novela de Castillo Solórzano, como en tantas otras de su época, apenas hay quien haga algo productivo: abundan, sí, las actividades suntuarias, el parasitismo; y la propia Teresa, la protagonista, pícara, comediante, ingeniosa en toda clase de engaños, prospera con esta típica industria: la peluquería... ¡Todo se va en moños!

EL TÚMULO

"Yo, que siempre trabajo y me desvelo—declara Cervantes al comienzo de su *Viaje del Parnaso*—por parecer que tengo de poeta la gracia que no quiso darme el cielo ... "; y muchos, entonces como después, se han complacido en tomar por paladina confesión de parte esta sutil autoironía. Pues para muchos, hoy como entonces, resulta intolerable que el novelista máximo pueda ser también un gran poeta. Cervantes mismo recogerá, esta vez dolido, en el prólogo a sus *Comedias,* la opinión corriente de "que de mi prosa se podía esperar mucho, pero que del verso nada".

Y claro está que en su verso no hay ni la acendrada y transparente pureza de fray Luis, ni la felicísima facilidad de Lope, ni la suntuosa imaginería de Góngora, con cuyas marcas de excelencia lírica tenía que medirse. Pero sería ignorarlo todo acerca del espíritu cervantino entender al pie de la letra la caricatura que de sí mismo hace cuando, en esas primeras estrofas del *Viaje,* se nos presenta afanado por simular virtudes poéticas que no le asisten. ¿Acaso no se nos había presentado perplejo, "suspenso, con el papel delante, la pluma en la oreja, el codo en el bufete y la mano en la mejilla" cuando va a redactar el maravilloso prólogo al primer *Quijote*? ¿No había hablado ahí del "estéril y mal cultivado ingenio mío"? La inflexión burlesca de esta frase: "Yo, que siempre trabajo y me desvelo", etc., debiera advertirnos de que contiene sólo una verdad a medias. Bien sabe Cervantes cuál es su fuerte, y qué terreno pisa. Y así, más adelante, haciendo uso de su ambigüedad característica, proclamará en el capítulo IV del propio *Viaje del Parnaso* al recapitular con siempre lúcida altivez sus méritos de escritor:

> *Yo el soneto compuse que así empieza,*
> *por honra principal de mis escritos:*
> *"Voto a Dios, que me espanta esta grandeza".*

"Por honra principal de mis escritos": guardémonos de tomar nunca a la ligera las palabras de Cervantes. Cuanto él dice, lo dice por algo; y aquí, como en todo momento, sabe muy bien lo que dice. Este soneto, "Al túmulo del rey Felipe II en Sevilla", es en efecto una obra maestra, pieza única de poesía en cualquier repertorio del Barroco. Por sí sólo, reclama para su autor el título de gran poeta.

Innecesario parece reproducirlo aquí, siendo como es una de las contadas piezas que todo el mundo sabe de memoria. Sin embargo, para comodidad del lector que quiera seguir este comentario, nada cuesta estampar de nuevo su bien conocido texto, del que, por lo demás, los diversos manuscritos que se conocen ofrecen variantes menores. Ésta es la más aceptada:

> *Voto a Dios que me espanta esta grandeza*
> *y que diera un doblón por describilla;*
> *porque ¿a quién no sorprende y maravilla*

esta máquina insigne, esta riqueza?

    Por Jesucristo vivo, cada pieza
vale más de un millón, y que es mancilla
que esto no dure un siglo, ¡oh gran Sevilla,
Roma triunfante en ánimo y nobleza!

    Apostaré que el ánima del muerto
por gozar este sitio hoy ha dejado
la gloria donde vive eternamente.

    Esto oyó un valentón, y dijo: "Es cierto
cuanto dice voacé, señor soldado.
Y el que dijere lo contrario, miente".

    Y luego, incontinente,
caló el chapeo, requirió la espada,
miró al soslayo, fuese, y no hubo nada.

Tras su lectura, uno se siente invadido de melancolía. Podemos quizá fijar el matiz de esa melancolía atribuyéndole las notas de profunda y solemne. Pero no bastan. Profunda y solemne será la melancolía que despierte en nosotros el soneto de Quevedo: "Miré los muros de la patria mía ...", también impregnado de soledad, de abandono, de silencio; dominado también por el triunfo de la muerte, según se manifiesta en la decadencia de la patria. Pero en el soneto de Cervantes se encuentra algo más: hay sarcasmo. El desengaño está ahí presente, sí; pero está también el sentimiento de amargura que ese desengaño produce, mezclado con desesperación y tácita protesta. Y, como conviene a la obra artística de calidad superior y al espíritu del poeta, ex-

187

presado todo ello, no directamente, sino a través de la forma misma del poema, cuya perfección es extrema.

El desengaño (en cuya omnipresente experiencia cifró con acierto, aunque tal vez con alguna exageración, Leo Spitzer la actitud vital de la época), el tan mentado desengaño barroco, no está declarado—todo lo contrario—en las frases del soneto, sino que se incorpora a su estructura misma. Ha comenzado en una vocativa admiración para expandirse en el elogio más enfático del monumento funerario. Pero no se trata propiamente de admiración con el ánimo contemplativo que esta palabra sugiere. El poeta usa el verbo "espantar", cuya semántica, es cierto, ha cambiado algo desde entonces, pero que de todos modos acentúa el efecto paralizador de una impresión que nos deja atónitos. A partir del "espanto" ocasionado por la grandeza del túmulo, avanzan los dos cuartetos y el primer terceto acumulando hipérbole sobre hipérbole, con reiteración de juramentos: "Voto a Dios", "Por Jesucristo vivo"; ponderaciones pecuniarias: "diera un doblón", "vale más de un millón", y temporales: "que esto no dure un siglo", "la gloria donde vive eternamente", y loas grandilocuentes: "¡oh gran Sevilla, Roma triunfante en ánimo y nobleza!" El lector que ha seguido, línea tras línea, las pomposas, engoladas y un tanto vulgares expresiones de asombro, llega a descubrir, pero no antes de haber alcanzado el segundo terceto, que quien ha hablado hasta ese momento no es el poeta mismo, sino un personaje inventado por él. Así viene a aclararlo otro nuevo, "un valentón", que ha estado escuchándolo y que se le dirige

188

llamándolo "señor soldado". Lo que se nos había dado por retórico elogio al monumento resulta ser ahora no otra cosa que la tirada fanfarrona de un soldado. Debiéramos haberlo sospechado por su lenguaje. Ahora que caemos en la cuenta, el soldado se nos aparece de cuerpo entero, con sus ademanes excesivos y su desmedida elocución. Nuestros ojos han descendido desde el túmulo con su grandeza espantosa hasta las dos figuras grotescas paradas al pie: el señor soldado que hablaba, y el valentón que le replica. Es el desengaño: en nuestro oído resuenan a hueco sus frases engoladas; y el monumento mismo se nos viene al suelo. ¿Cómo no nos habíamos percatado? Si, con toda su prosopopeya, el elogio lo ha calificado de "máquina insigne", apuntando a su carácter de artificio teatral, mientras que insinúa su condición efímera por contraste con la Ciudad Eterna...

La hipérbole del primer terceto (siempre, en lenguaje soldadesco: "Apostaré") es tan excesiva que frisa en sarcasmo: el alma del difunto Felipe ha de haber abandonado "por gozar este sitio" la gloria divina. La actitud de Cervantes frente a Felipe II es un tema que espera todavía el merecido estudio monográfico, cuyas dificultades son obvias: si basta una mediana capacidad de intuición para percibir la antipatía con que el escritor contempla al rey, ha de ser, en cambio, sumamente laboriosa, y siempre cuestionable en sus resultados, la tarea de documentar la realidad de ese sentimiento; y esto, no sólo por razón de las posiciones respectivas, sino también por el peculiarísimo estilo de la reticencia cervantina, que se aplica a todos sus juicios, y con mayor motivo a los que afectan al soberano, a su política, y al conjunto de los valores culturales que reclamaban en la España de la segunda mitad del siglo XVI la lealtad de los súbditos. Las décimas cuyo primer verso dice: "Ya que se ha llegado el día", compuestas por Cervantes con ocasión de la muerte de Felipe, y que estuvieron puestas en el túmulo con otros papeles laudatorios de diferentes plumas, esas mismas décimas circunstanciales envuelven críticas a veces bastante cargadas de ironía, bajo la capa del convencional elogio, como advertirá quien las lea con atención.[1] Es claro

---

[1] Esta convencionalidad en pluma de Cervantes implica, ya por sí misma, un juicio de valor. Comienza el poeta preguntándose por dónde,

> Ya que se ha llegado el día
> Gran Rey, de tus alabanzas,

empezará a elogiarlo.

> Sin duda habré de llamarte
> Nuevo y pacífico Marte,

propone, con una ponderación en cuyo contexto, muy cervantinamente, el adjetivo "pacífico" niega y destruye al sustantivo Marte, en lugar de calificarlo ("pacífico Marte" es una paradoja casi chistosa), al mismo tiempo que destila ironía sobre el otro adjetivo, "nuevo", que le había precedido, convirtiendo al "nuevo Marte" en un Marte de nueva catadura, es decir, "pacífico".

No menos ambiguo es el elogio de la estrofa que reza:

que el soldado de Lepanto desaprobaba—y en ocasiones muy desembozadamente—el curso de la gestión político-militar posterior en la España que encuentra al volver del cautiverio. Sólo dos años antes de la muerte del rey, había escrito "A la entrada del duque de Medina en Cádiz ... después de haber evacuado aquella ciudad las tropas inglesas y saqueádola por espacio de veinticuatro días al mando del conde de Essex" (episodio histórico éste que debía inspirar a Cervantes su novela *La española inglesa*), un soneto lleno de crueles sarcasmos:

> *Vimos en julio otra Semana Santa*
> *atestada de ciertas cofradías,*
> *que los soldados llaman compañías,*
> *de quien el vulgo, no el inglés, se espanta.*

> *Y lo que más tu valor*
> *Sube el extremo mayor*
> *Es que fuiste, cual se advierte,*
> *Bueno en vida, bueno en muerte,*
> *Y bueno en tu sucesor.*

Pero esta otra contiene una crítica apenas velada:

> *Quedar las arcas vacías*
> *Donde se encerraba el oro*
> *Que dicen que recogías,*
> *Nos muestra que tu tesoro*
> *En el cielo lo escondías.*

Y piénsese la ocasión: se trata de las "*décimas* que compuso Miguel de Cervantes" para las honras fúnebres del rey, y que estuvieron colocadas en su túmulo.

Hubo de plumas muchedumbre tanta,
que en menos de catorce o quince días
volaron sus pigmeos y Golías,
y cayó su edificio por la planta.
Bramó el becerro, y púsoles en sarta;
tronó la tierra, oscurecióse el cielo,
amenazando una total ruina;
y al cabo, en Cádiz, con mesura harta,
ido ya el conde sin ningún recelo,
triunfando entró el gran duque de Medina.[2]

[2] El duque de Medina Sidonia de quien, con sarcasmo tan cruel, se burla ahí Cervantes es el mismo don Alonso de Guzmán el Bueno que había mandado la desastrosa expedición de la Armada Invencible a Inglaterra, y en quien, como en cabeza de turco, se descargaban todos los golpes destinados a herir la del poder inviolable en una monarquía absoluta.

En efecto, al séptimo duque de Medina Sidonia le correspondió el papel histórico de chivo emisario que, clamorosamente, en medio de universal rechifla, cargaría con las culpas de Felipe II. Es una figura cuyo destino, de tan grotesco patetismo, merecería un estudio cuidadoso y penetrante. Fue sin duda hombre apocado e inepto, pero no la especie de tonto que la gente pensaba, convirtiéndolo en objeto de una irrisión cuyos ecos parecen llegar hasta nosotros con el dicho proverbial "por atún y a ver al duque". Hijo de una madre dominante, le dieron por esposa a una mujer, la hija de los príncipes de Éboli, con más carácter que inteligencia, y de cuyo estrado mismo partiría el menosprecio hacia las capacidades del duque. Nacido éste en una posición que exigía mucho de él, y sintiéndose poco dotado para desempeñarla, debió sufrir la universal rechifla por unos fracasos imputables, en verdad, al rey mismo.

La pieza trasunta indignación; pero lo que nos interesa retener aquí de ella es, sobre todo, la unidad de motivo que en este soneto se advierte con el dedicado al túmulo y, por otro lado, con aquel otro, también conocidísimo, "A un valentón metido a pordiosero": todos

---

Cuando, muerto don Álvaro de Bazán, ordena Felipe II al duque de Medina Sidonia que asuma el mando de la escuadra, nuestro don Alonso hace cuanto puede por declinar el encargo. No hace muchos años ha publicado el duque de Maura unos documentos (*El designio de Felipe II y el episodio de la Armada Invencible*, Madrid 1957) a cuya luz es evidente que las responsabilidades históricas por este desastre recaen personalmente en el rey. Entre dichos documentos se reproduce la carta, fecha De Sanlúcar, 16 de febrero 88, en la que el duque le explica las razones por las que no puede aceptar el mando de la expedición. Se lee ahí lo siguiente: "A todo lo que es esta materia, responderé, en lo primero, besando a Su Majestad sus Reales pies y manos, por haber echado de mí, mano en negocio tan grande, para cumplir con el cual quisiera tener las partes y fuerzas que para el mismo servicio eran forzosas. Éstas, Señor, yo no me hallo con salud para embarcarme, porque tengo experiencia de lo poco que he andado en la mar; que me mareo, porque tengo muchas reumas"; añadiendo: "...no es justo que la acepte [la empresa] quien no tiene ninguna experiencia de mar ni de guerra, porque no la he visto ni tratado. Demás de esto, entrar yo tan nuevo en el Armada sin tener noticia de ella ni de las personas que son en ella y del designio que se lleva, ni de los avisos que se tienen de Inglaterra, ni de sus puertos, ni de la correspondencia que el Marqués a esto tenía los años que ha que de esto se trata, sería ir muy a ciegas aunque tuviese mucha experiencia". No conforme con declinar, recomienda en cambio la designación del Adelantado de Castilla, cuyas cualificaciones para el

tres están centrados en el motivo de la fanfarronería. El bravonel—recuérdese—se irá sin la limosna que había exigido amenazadoramente, tan pronto como parece hacerle frente alguien. El *gran* duque de Medina (*miles gloriosus*) entró, "triunfando", en Cádiz, "con mesura harta", ido ya el conde sin ningún recelo, es decir, cuando ya no hay enemigo a quien combatir, al frente de sus soldados de cofradía cubiertos de plumas. Y este

---

caso pone de relieve muy detallada, sensata y atinadamente. Como puede verse, la declinación es formal, seria, apremiante; en verdad, angustiada. Continúa insistiendo: "Y así entiendo que Su Majestad, por lo que es su grandeza, me hará merced, como humildemente se lo suplico, de no encargarme cosa de que ciertamente no he de dar buena cuenta, porque no lo sé ni lo entiendo", etc.

¿Es ésta la carta de un necio? Sin duda que no. Revela en ella, al contrario, discreción, modestia y un conocimiento no común de sus propias limitaciones. Lo increíble es que todavía el rey, inflexible, le ordenara asumir el comando de la armada, cuya catástrofe, si otras causas no hubiera habido, se explicaría con sólo ese documento.

Pero, claro está, esa correspondencia tenía carácter reservado; y de hecho, hasta hace muy poco no se había dado a conocer. Nada de extraño tiene que, en su tiempo, la que pudiera llamarse "opinión pública", satisfecha en destrozar a un grande de España, ya que el principio monárquico ponía la persona del rey por encima de toda crítica, se ensañara en nuestro reluctante capitán de mar.

Pues bien, a este mismo duque de Medina Sidonia, sin "ninguna experiencia de mar ni de guerra, porque no la he visto ni tratado", le tocó años más tarde acudir al socorro de Cádiz, ocupada por los ingleses...

otro valentón del túmulo despliega a su vez un alarde de actitudes heroicas, lanzando al vacío su rotundo *mentís* en confirmación de lo que el señor soldado ha dicho, no para contradecirlo. En verdad, el valentón no hace sino duplicar al soldado a quien replica: es un eco suyo por su lenguaje fanfarrón; lo es por su atuendo—chapeo, espada—, por sus ademanes; y sobre todo lo es porque sus palabras corroboran lo que él acaba de decir. "Y el que dijere lo contrario, miente": desafío en el aire, gesto inocuo, que lleva hasta el absurdo cómico la sensación de oquedad.

Basta. Nos hallamos ante un túmulo de tan enormes proporciones que llena la nave gigantesca de la catedral de Sevilla; ante una grandiosa arquitectura de madera y cartón pintado, hecha en imitación de El Escorial, y cubierta de decoraciones suntuosas destinadas a engañar la vista. Su aspecto es magnífico: conocemos todos los detalles gracias a una *Descripción del Túmulo y relación de las exequias que hizo la ciudad de Sevilla en la muerte del rey don Felipe Segundo, por el licenciado Francisco Gerónimo Collado.* Este libro, editado por Francisco de B. Palomo para la Sociedad de Bibliófilos Andaluces en Sevilla, año de 1869, en el que se nos da incluso un croquis del monumento, informa acerca de todas sus particularidades. "Las gradas y todo este cuerpo—explica en un punto—imitaban con su pintura la piedra berroqueña de color entre pardo y blanco, como lo son las del templo de S. Lorenzo el Real, que se procuraron imitar con la planta dél". Se imita el bronce, se imitan diferentes mármoles. Sabemos quiénes labraron las esculturas (dieciséis figuras "de a catorce pies cada una en alto", en un sector tan sólo), quiénes hicieron las pinturas, quiénes levantaron el edificio. Los mejores artistas, los pintores Alonso Vázquez, Francisco Pacheco, Vasco Pereyra y Joan Salcedo, los arquitectos Joan de Oviedo, Joan Martínez, Diego López y Martín Infante, los escultores Joan Martínez Montañés y Gaspar Núñez Delgado, emplearon su talento en un material perecedero, "quedando muy contentos y satisfechos, aunque sin ganancia". De Montañés hace mención especial el cronista, "por ser tan estimado en su arte": confeccionó diecinueve figuras ... Pues bien, esta *grandeza* tan deleznable, la imponente estructura erigida para celebrar unas honras fúnebres que iban a durar dos días[3]

[3] El túmulo de Sevilla estuvo en pie mucho más tiempo del previsto, gracias a un incidente que condice bien con la atmósfera del soneto cervantino. Al morir Fepile II "se mandó a todas las ciudades, villas y lugares del Reino ... que cada uno hiciese unas honras funerales por Su Majestad lo mejor, más honrosa, costosa y sentidamente que se pudiese". El fastuoso monumento ordenado por la ciudad de Sevilla se instaló en medio de la nave de la catedral, "o de las dos naves que hacen el crucero principal entre los dos coros". "Terminado el Túmulo en cincuenta y dos días, que parece increíble, se dispuso celebrar las honras el 24 y 25 de noviembre". Pero, una vez empezada la ceremonia, surgió un conflicto entre el tribunal de la Inquisición y, de otra parte, el Cabildo y Audiencia, por una cuestión de precedencia, con interrupción de la misa y excomunión al Cabildo, quedando suspendida la ceremonia hasta que, por fin, zanjada la disputa, pudieron celebrarse las honras fúnebres a 30 y 31 de diciembre. El rey había muerto el 13 de septiembre de 1598.

es lo que admiran y celebran con frases rimbombantes, nuestros sospechosos personajes, el soldado y el valentón, que grotescamente desbordan de pretensiones falsas. El ambiente se ha hecho opresivo. ¿Qué puede pasar ahora? Los catorce versos del soneto han terminado con el vano *mentís* del valentón, sin destinatario alguno. Ahora ¿qué puede pasar? El comentario desmesurado de los dos fanfarrones, por venir de quien viene, ha hecho que también este edificio del túmulo caiga por la planta: estamos desengañados; el desengaño nos agobia. Pero todavía el autor va a intensificar nuestra angustia con ese estrambote que, a manera de pluma vistosa, queda temblando al aire. Tras el desafío tremendo lanzado en vano al vacío, el valentón esboza todavía un ademán gallardo, y se va. Nos parece oír los pasos que se extinguen en el silencio, hacia esa nada definitiva en que termina todo, concluyendo el soneto.

Muchos son los sonetos de la época barroca que desembocarán significativamente en la palabra "nada". Con ella cierra Cervantes su hinchada celebración del monumento funerario a Felipe II. El poeta ha creado una realidad ficticia capaz de sellar en forma indeleble los hechos de la realidad práctica. Es curiosa a este respecto la noticia contenida en un códice original, *Sucesos de Sevilla desde 1592 a 1604*, de autor anónimo, donde se lee: "En martes 29 de diciembre del dicho año [1598], estando yo en la Santa Iglesia, entró un poeta fanfarrón y dijo una octava sobre la grandeza del Túmulo: '¡Voto a Dios!'", etc. El anónimo autor de esta noticia llama octavas al soneto, y confunde su contenido imaginario con la escena de la que pretende haber sido testigo presencial. La validez de los testimonios no suele ser tan firme como los ingenuos piensan: en este caso, es evidente que la realidad poética se ha superpuesto a la experiencia de los sentidos. Y así como al observador casual le sonarían a octavas los versos de un soneto con estrambote, identificó a Cervantes mismo, al poeta, con el personaje doble suscitado por él.

Tal es la magia de la invención artística. Como en una cripta, Cervantes encerró en la estructura de su soneto un mundo de significaciones cuya evidencia percibimos, pero que se resisten a los esfuerzos de una mente empeñada en reducirlas a formulación racional. Es, una vez más, la desesperante ambigüedad del gran arte; y el arte cervantino excede a todos en constituir unidades poéticas de sentido inagotable. Por eso, a propósito de este soneto, han podido discutirse las intenciones del autor en los mismos términos y con análogas discrepancias que a propósito de sus obras mayores, el *Quijote* en primer lugar. ¿Qué es lo que verdaderamente pensaba Cervantes? La respuesta será, siempre de nuevo (sonrisa de la Gioconda), el nexo dado en la organización de la obra en estos dieciocho versos que empiezan: "Voto a Dios", etc. Sólo por intuición lograremos aprehenderlo; es decir, sólo a través de un contacto personal, directo e insustituible de cada uno de nosotros con la obra misma.

Pero, para ayudar a la intuición—y tal es el papel de la crítica, si alguno desempeña—, puede servir de mucho, junto a la reconstrucción de las circunstancias reales que en su momento asistieron a crear dicha obra, su comparación con otras de corte y sentido análogos. En el presente caso, limitaremos nuestras referencias a los tres sonetos mencionados con el que estamos estudiando, dos del mismo autor, y el tercero, de un poeta más tardío: Quevedo.

En cuanto a los primeros, ya habíamos señalado de pasada el elemento común que se descubre en composiciones de tono y de propósito por lo demás tan dispares como son los sonetos "A un valentón metido a pordiosero" y "A la entrada del duque de Medina en Cádiz". Éste es, claramente, una sátira, llevada por cierto hasta el sarcasmo, contra una operación político-militar contemporánea; el otro, una sátira, pudiéramos decir, de costumbres, que caricaturiza a un determinado tipo: el valentón. Pero ya pudimos notar cómo Cervantes atribuye la actitud fanfarrona propia de ese tipo al jefe de las fuerzas de cuyo ineficaz alarde tan acerbamente se burla, designándolo por su nombre; y no es un cualquiera, sino nada menos que uno de los grandes de España. El poeta lo castiga con tremenda crueldad; pero esta burla suya está cargada de patriótica indignación.

También Quevedo fustigará en su día la política de los gobernantes, y no sin riesgo muy efectivo de su propia persona; pero a la hora en que escribe el soneto citado su tono es ya de entrega, de abandono, de melancolía infinita: "Miré los muros de la patria mía ..." El poeta es viejo, bastante más viejo que lo era Cervantes a la muerte de Felipe II; y el poder de la monarquía española ya se ha desvanecido sin remedio. Para la fecha en que se supone escrito el poema de Quevedo estaba consumada la separación de Portugal y no había terminado la guerra de Cataluña, con cuyo movimiento desintegrador habían coincidido otros territorios de la corona, Andalucía inclusive. El tratado de Westfalia no tardaría en firmarse. Y Quevedo no hallaba "cosa en que poner los ojos que no fuese recuerdo de la muerte".

La muerte, la nada que este poeta supremo encuentra por todas partes, estaba ya también en el soneto de Cervantes al túmulo de Felipe II; pero aquí el escritor no aparecía entregado, no se resigna; quizá, probablemente, de seguro, sabe que la lucha es inútil, que las cosas no tienen remedio, y así nos lo va a indicar, crípticamente, en el *Quijote* muy pronto. Pero que sea inútil la lucha no implica que carezca de sentido: en tal caso, don Quijote no hubiera pasado de ser un fantoche. Y, desde luego, el escritor mismo no se siente arrastrado por la catástrofe, sino que, fiel al humanismo heroico de que su juventud se había nutrido, contempla con dolorosa ironía el espectáculo desde el mirador invulnerable de su conciencia, y nos comunica, no su juicio—el juicio va acaso envuelto—, no su opinión condenatoria, como en la sátira contra el duque de Medina Sidonia; nos comunica su visión misma, haciéndonos ingresar en el ámbito del poema, donde—como aquel que cuenta: "estando yo en la Santa Iglesia, entró un poeta fanfarrón ... "—sintamos la futilidad del grandioso monumento, y el corazón se nos apriete al sentirla.

EL ESPACIO BARROCO:
CERVANTES Y QUEVEDO

En el prodigioso soneto de Cervantes al túmulo de Felipe II en Sevilla hemos podido ver cómo el espacio se crea saliendo engañosamente, cual gigantesca pompa de jabón cuya magia terminará al fin por desvanecerse en la nada, de la boca gárrula y cavernosa de un fingido personaje, quien, a su vez, y conforme dilata el sonoro ámbito de su efímero edificio, irá perdiendo él mismo en estatura hasta llegar a ser no más minúscula figurita que se desdobla, duplicada en un extraño gemelo, y por último desaparece entre las bambalinas del ilusorio escenario. Aquí, pues, el espacio no es una realidad objetiva, sólida, consistente, externa, tangible y mensurable, sino apariencia vana a la manera de las emanaciones del sueño.

Pero este sueño barroco todavía no ha entrado en la fase del delirio: la ironía del poeta lo gobierna desde el suelo firme de un racionalismo al que jamás había de renunciar Cervantes. El delirio vendrá con Quevedo.

Quevedo le dirá a Valladolid:

> *No quiero alabar tus calles,*
> *pues son, hablando de veras,*
> *unas tuertas y otras bizcas,*
> *y todas de lodo ciegas.*

Dirá de Toledo:

> *Vi una ciudad de puntillas*
> *y fabricada en un huso;*
> *que si en ella bajo, ruedo,*
> *y trepo en ella, si subo.*

Las torres de la fortaleza de Joray, donde estuvo preso, se le hacen

> *calavera de unos muros*
> *en el esqueleto informe*
> *de un ya castillo difunto.*

Pero quiero llamar la atención especialmente sobre el romance titulado "Las cañas que jugó su Majestad cuando vino el príncipe de Gales", donde Quevedo describe la fiesta del 21 de agosto de 1623 en la plaza Mayor de Madrid, poniendo el relato en labios de "Magallón el de Valencia", quien va a contarle a otros dos maleantes lo que ha visto. La caracterización de estos tres personajes no se limita ya a los rasgos sobrios, aunque muy eficaces, con que pinta Cervantes a sus afines: "un valentón de espátulo y greguesco»; "caló el chapeo, requirió la espada"; sino que los atributos personales adquieren aquí autonomía y hasta vida propia, despojando de ella a los seres humanos, que quedan así convertidos en grotescos mascarones. Tan desmesuradas son, por ejemplo, sus espadas, que los bravucones van "dando la teta a los pomos, / y talón a las conteras": los ha transformado de golpe en nodrizas con el niño al pecho...

Sin embargo, no es esta técnica deformante, tan peculiar de Quevedo, lo que deseo subrayar en esta composición, sino la estructura del espacio que ahí aparece. El poeta—que es, no lo olvidemos, un cortesano—desea hacernos presenciar las fiestas reales a través de un sujeto ínfimo. Con esto, el espectáculo se aleja socialmente. Pero, al mismo tiempo, va a alejarse también física, espacialmente. Por dos reales, Magallón ha subido a presenciar las cañas, "oyente de Peralvillo, / en un palo entre las tejas". Se ha trepado, pues, a un palo en lo alto del tejado y, sabiéndose carne de patíbulo, se considera allí, en su "horca de cigüeña", "vivo y enterrado" como si ya estuviera puesto en la picota (Peralvillo). Desde posición tan eminente, dice:

> *Los ojos eché a rodar*
> *desde las canales mesmas:*
> *despeñóseme la vista,*
> *y en el coso di con ella.*
> *Los toros me parecían*
> *de los torillos de mesa,*
> *que, a fuerza de mondadientes,*
> *tanta garrocha remedan.*
> *Por Dafne me tuvo el Sol,*
> *pues se andaba tras mi jeta,*
> *retozándome de llamas,*
> *requebrándome de hoguera.*

Parecería que mirásemos la plaza con unos prismáticos al revés, distante, remotísima. En ella los toros, llenos de garrochas, se ven chiquititos como palilleros... Pero no se trata de una mera cuestión de distancia. El espectáculo no aparece frente a nosotros en una representación objetiva más o menos próxima, sino subjetivamente ligado a nuestra posición de observadores. Lo vemos por los ojos de Magallón; y sabemos cómo éstos se han echado a rodar desde los canales del tejado hasta despeñarse la vista en el coso, cambiado así en fondo de un precipicio. Hay un movimiento vertiginoso con el cual el espacio se despliega como serpentina de carnaval, de arriba a abajo, en un juego ilusionista: abajo, los toros con sus garrochas son torillos de mesa erizados de mondadientes, mientras que arriba el espectador recibe, a su vez, desde lo más alto, la persecución agobiante del sol de agosto...

SUEÑO Y REALIDAD EN EL BARROCO

UN SONETO DE QUEVEDO

Percibido con mayor o menor claridad, tratado más o menos a fondo, el problema de la distinción entre realidad y sueño estuvo presente siempre en la conciencia humana. Nadie ignora que, para muchos antropólogos, fue la azorante experiencia onírica la que primero suscitó en la mente salvaje la idea de un alma independiente del cuerpo y capaz, por ello, de hacer excursiones diversas mientras éste duerme, de sobrevivirlo cuando se ha muerto. En cuanto tema literario, las relaciones entre el mundo real y el de los sueños constituyen una antigua tradición, bien documentada en el libro *La vita è un sogno,* que Farinelli dedicó a investigar las fuentes del célebre drama calderoniano. Y basta con mencionar el superrealismo, cuya contrafaz científica ha sido el psicoanálisis freudiano, para convencerse de que dicha tradición continúa su desarrollo hasta la época actual.

Fue, sin embargo, la barroca, obsesionada por el movimiento del engaño y desengaño, la que con mayor profundidad trató del problema, tanto en el plano poético como en el de la especulación intelectual. Descartes, coetáneo de Calderón, escribe en su *Discurso del método* que, "considérant que toutes les mêmes pensées que nous avons étant éveillés nous peuvent aussi venir quand nous dormons sans qu'il y en ait aucune pour lors qui soit vraie, je me résolus de feindre que toutes les choses qui m'étaint jamais entrées en l'esprit n'étaint non plus vrais que les illusions de mes songes" ("considerando que todos los mismos pensamientos que tenemos estando despiertos nos pueden venir también cuando dormimos, sin que haya ninguno que por eso sea verdadero, me resolví a fingir que todas las cosas que jamás me hayan entrado al espíritu no eran más verdaderas que las ilusiones de mis sueños"). El *Discurso* comporta una teoría del conocimiento; pero lo que aquí aparece como una mera aplicación del principio de la duda metódica va a recurrir con pertinacia en este y en otros de sus libros, persiguiendo a su autor como una cuestión capital de alcance ontológico. ¿Qué es la realidad? ¿Existe acaso la realidad? Y, si existe, ¿cuál es su estofa? La razón puede adquirir verdades en el sueño; y así, al acudirle a alguien aunque sea en sueños una idea bien precisa, como, por ejemplo, un geómetra que inventara soñando una nueva demostración, su sueño no le impediría ser verdadera. El dato esencial y primario es nuestro ser pensante, y lo que hay que averiguar ahora es la relación de ese ser pensante que soy yo con la *res extensa*, que es, para empezar, mi propio cuerpo. ¿Existe de veras tal cosa? O, en otros términos, ¿existe lo que llamamos la realidad? A resolver este problema dedica sus *Meditaciones* Descartes, y a todo lo largo de ellas se debate con la dificultad de distinguir entre la realidad y el sueño. Pudiera ser—observa en la segunda meditación—que todas esas imágenes, transmitidas por los sentidos o figuradas, y en general todas las cosas que uno refiere a la naturaleza del cuerpo, no sean sino sueños o quimeras. Y sólo al final de la sexta, no sin apuro, se decide a rechazar sus dudas pasadas, sobre todo esa incertidumbre tan general acerca del sueño, que no podía distinguir de la vigilia. Cree ahora hallar una diferencia muy grande en el hecho de que nuestra memoria—dice él—no puede nunca ligar y juntar unos con otros nuestros sueños, colocándolos dentro de la continuidad de nuestra vida, como suele hacerlo con las cosas que nos suceden estando despiertos. La solución es, evidentemente, precipitada y poco satisfactoria. Descartes necesita complementarla apelando a la consideración de que Dios no es engañador...

El filósofo francés pertenece—ya quedó apuntado—a la misma generación del poeta español cuyo drama, uno de los mayores monumentos literarios de la Contrarreforma, daría vuelo teológico al tópico de "la vida es sueño", desplegando en una estructura esplendorosa la intuición que otros poetas del Barroco habían acuñado en fórmulas eternas: "We are such stuff / as dreams are made on; and our little life / is rounded with a sleep". Ya don Quijote había bajado a la cueva de Montesinos; ya Sancho, después de haber cumplido el sueño de su vida: ser gobernador, había regresado con las alforjas llenas de desengaño;[1] de ese desengaño que, en todos los tonos y niveles, impregna de melancolía al siglo.

---

[1] A ese momento pertenecen estas reflexiones suyas: "Sola una cosa tiene mala el sueño ..., y es que se parece a la muerte, pues de un dormido a un muerto hay muy poca diferencia". *Quijote,* II, cap. LXVIII.

Recuerdo que leí hace tiempo, aunque no recuerdo dónde—o ¿acaso lo he soñado?—; no sé bien si en los *Apotegmas,* de Juan Rufo, o en el *Viaje entretenido,* de Rojas; mejor en el *Patrañuelo* u otro de los libros de Timoneda, en fin, en alguna de las colecciones de anécdotas chistosas tan abundantes entonces, cierto cuento de un siempre desdeñado amante que un día declara a su dama, entre resentido y triunfante, haber obtenido de ella en sueños los favores que en la realidad le negaba; y como la mujer, en respuesta, le pidiera, entre jocosa y pícara, el pago correspondiente, él le pasó una moneda por la mano para que con el mero contacto se considerara pagada de un placer que sólo en sueños había concedido... Este cuento, de espíritu quevedesco, pertenece a una serie de engaños, desengaños y contraengaños—como el de aquel otro que pagó con el son del dinero por haber disfrutado el olor delicioso de una perdiz—urdidos a base de la falacia de los sentidos.

En el terreno de la trivialidad cotidiana donde arraiga lo cómico (salvo que se trate, como en Cervantes, de una comicidad trascendental), el contraste entre sueño y vigilia se matiene dentro del ambiente de la común experiencia humana, para la cual—como, en definitiva, para Descartes—los ensueños no pasan de ser una ilusión evanescente que al despertar se disipa. Despertar equivale, en este plano, a salir del engaño, a desengañarse; despertar es tanto como poner pie en la tierra firme de la realidad, cuya sólida consistencia nos asegura. Por eso, el desengaño suele tener un efecto hilarante en la existencia trivial: es cómico; se reduce a un chascarrillo.

Pero cuando se profundiza esa experiencia vulgar, como hemos visto que lo hizo reflexivamente Descartes, líricamente Shakespeare, dramáticamente Calderón, entonces desaparece la diversión para dar lugar a una angustia vertiginosa. Tan pronto como nos percatamos de que nuestra vida está hecha de la estofa misma de los sueños volvemos a perder pie, y la realidad toda se nos despeña, subjetivada, en la sima de nuestra conciencia. El tiempo, cuya estructura objetiva nos servía para ordenarla, se nos ha convertido ahora en un fenómeno de pura vivencia: o se quiebra y diluye, o queda anulado frente a la eternidad.

Sobre un fondo de eternidad desintegra el drama de Calderón la vida en sueño. No es que él sienta dudas acerca de la diferencia práctica entre lo vivido y lo soñado: el postulado de que "la vida es sueño" tiene para nuestro poeta un significado sólo metafórico; pero lo que va de la una al otro pierde relieve y se hace mínimo ante la faz de Dios: la realidad eterna es de calidad tal que reduce esta mundanal realidad de nuestra vida a la estofa deleznable de los sueños.

Ahora bien: no olvidemos que el pensamiento de Calderón responde plenamente al propósito contrarreformista de restaurar la visión cristiana del universo, según había prevalecido durante la Edad Media. El pasmo de la eternidad, si nos aterra, también nos ofrece un consuelo, una promesa. De ahí proviene el sentimiento de confortación que su drama *despierta* en nosotros, por contraste con la inquietud en que nos sumen otros escritores del Barroco, contemporáneos suyos, pero mucho más próximos en espíritu a nosotros, que no podemos, en definitiva, descansar sobre una fe religiosa inconmovible.

Pienso, ante todo, en Quevedo, que desde el punto de vista doctrinal ostenta una actitud de ortodoxia intachable (y hasta, diríase, un conformismo bastante curioso en mente tan crítica como la suya), pero cuya visión del mundo revela, en cambio, el más radical nihilismo, como si una grieta sutil separara el sistema de sus convicciones expresas y su originaria, íntima, esencial percepción del mundo. Lo lucianesco de sus *Sueños* no se reduce al artificio literario: su sátira se aplica a la operación, que con tremenda, despiadada genialidad llevará a cabo en sus obras más maduras, de corroer la realidad hasta aniquilarla por completo. Cumple esta furiosa destrucción de apariencias, este implacable desenmascaramiento de la nada, bajo todas las formas, a través de todos los géneros, y en los tonos más diversos. El de burla procaz es—¿quién lo ignora?—uno de los varios donde Quevedo alcanza mayor felicidad poética. Su fama popular está fundada en esos "chistes" que, apócrifos en gran parte, atribuidos, han hecho de él una figura pintoresca del folklore hispano. En esto, precisamente, pensaba yo cuando califiqué de "quevedesco" por su espíritu el cuento referido antes: le cuadra muy bien, como otros que se le "encajan" y que, sin embargo, encontramos recogidos e impresos en colecciones de fecha anterior a las de su vida o de su actividad literaria.

Con todo, el tema del deseo erótico satisfecho por ministerio del sueño aparece también tratado en la obra de Quevedo, pero—curiosamente—puesto en la clave lírica donde, a su vez, alcanza este poeta excelencia, si no incomparable, digna de comparación con los más grandes de la lengua castellana, y dentro de la cual logra asomarnos igualmente al abismo de la nada en que a sus ojos se resuelve la realidad del mundo tan pronto como en él los fija.

El soneto a que me refiero es éste:

> ¡Ay, Floralba! Soñé que te... ¿dirélo?
> Sí, pues que sueño fue: que te gozaba.
> ¿Y quién, sino un amante que soñaba,
> juntara tanto infierno a tanto cielo?
>
> Mis llamas con tu nieve y con tu yelo,
> cual suele opuestas flechas de su aljaba,
> mezclaba Amor, y honesto las mezclaba,
> como mi adoración en su desvelo.
>
> Y dije: "Quiera Amor, quiera mi suerte,
> que nunca duerma yo si estoy despierto,
> y que si duermo, que jamás despierte".
>
> Mas desperté del dulce desconcierto;
> y vi que estuve vivo con la muerte,
> y vi que con la vida estaba muerto.

Como sólo ocurre en las cumbres de la expresión poética, la intensidad del sentimiento se encuentra servida aquí por una técnica literaria refinadísima, a cuya virtud se cumple el prodigio de transformar en experiencia única—para el autor, y para cada uno de sus infinitos lectores—lo que acaso fue en su origen una experiencia muy común—la misma que, según antes vimos, se prestaba tan bien al chascarrillo vulgar. Y no es pequeño asombro el de comprobar cómo ese genio de la procacidad que era Quevedo usa materiales semejantes, no para explayarse en chocarrerías, sino para erigir un monumento del más depurado lirismo.

Empieza el soneto con un suspiro: "¡Ay, Floralba!" Y en seguida viene la declaración del sueño erótico. "Soñé que te ... "; declaración tan directa, tan brutal, que en medio de ella, antes de pronunciar el verbo de acción, se corta, se interrumpe, vacila, duda, se pregunta a sí mismo: "¿dirélo?" Lejos de debilitar la expresión, esta pregunta refuerza enfáticamente el impacto de la idea sugerida ya en modo inequívoco mediante las tres palabras del enunciado: "Soñé que te ... ", tras el suspirado nombre de Floralba. El lector ha anticipado, sin duda, al llegar ahí ese verbo grosero ante cuya crudeza no retrocede Quevedo en sus poesías satíricas o burlescas. Pero aquí es lírico el ambiente donde nos hallamos; y así, después de ese primer verso, de movimiento emocional incomparable, el poeta, que ha resuelto por la afirmativa aquella duda sólo destinada a subrayar el carácter de lo soñado, sustituye ahora el término impropio que nos había sugerido por otro, algo eufemístico: "que te gozaba". El haber sido todo no más que un sueño suyo, suspende la inhibición que por un instante detuvo al poeta. Lo ocurrido, ocurrió sólo en sueños; en la esfera personal, íntima, del enamorado, sin participación ni conocimiento de la dama, cuya conducta queda a salvo de cualquier reproche: por ello se decide a declararlo. Pero esta misma circunstancia promueve el humor melancólico que preludiaba ya el "¡Ay, Floralba!" del comienzo. La felicidad lograda es cielo, sí; mas al propio tiempo es infierno, porque sólo pudo lograrse en las oficinas imaginativas—y quizá demoníacas—del sueño. Se trata—como escribe el poeta en otra composición—de "Las mentiras del sueño".

El contraste de los opuestos, tan favorecido por la retórica del Barroco, ha hallado una primera oportunidad, que desencadenará en seguida otros contrastes en el segundo cuarteto, donde se rima con aquel cielo la nieve y el hielo de la amada combinados por el amor con el fuego del amante.

Contrastes semejantes, repetidos hasta la saciedad por todos los poetas de la época, y por Quevedo mismo aún más que por otros, constituyen un lugar común, recurso instrumental tan usitado como la propia combinación métrica del soneto; y con frecuencia llegan a resultarnos insufribles. No en este caso. Cuando un poeta acierta a infundir su intuición personal en los elementos formales que están a la disposición de todo el mundo y mediante ellos da expresión a una experiencia lírica de carácter único, el efecto es de maravilla: pues, en lugar de fatigarnos, esos procedimientos archicono-

cidos—el soneto, la conjugación de los contrarios, etc.—
se nos revelan como forma absolutamente necesaria de
esta experiencia singularísima. Véase lo que ocurre en el
segundo cuarteto con el manoseado símbolo de los sentimientos eróticos: las flechas de la aljaba de Amor.
El poeta está describiendo con inflexiones de evocación
doliente el contenido de su sueño; y para ello, no sólo
mezcla fuego con nieve, sino que atribuye esta increíble alquimia al clásico Cupido. Pero leamos la estrofa:
tales clisés forman una especie de velo delicadísimo cuya
transparencia nos deja percibir, adivinar, la tensión entre el apasionamiento ardiente de un deseo largo tiempo
contenido y el helado desdén que apenas derriten las
artes mágicas del ensueño.

Dentro de éste, invoca el poeta a su dios: "Quiera
Amor—exclama—, quiera mi suerte, que nunca duerma
yo si estoy despierto, y que si duermo, que jamás despierte". En el "dulce desconcierto" entra la incertidumbre. El cumplimiento de lo anhelado, ¿es realidad o
engaño? El testimonio de los sentidos no basta; las imágenes del sueño pueden conmoverlos profundamente.
Durmiendo, el terror hace que el corazón quiera saltár-
senos; durmiendo, el deseo erótico puede alcanzar satisfacción completa... No, el hombre del Barroco sabe
muy bien lo falaz que puede ser a veces el testimonio de
los sentidos. A Descartes no le permitirá distinguir, con
criterio seguro, la realidad del sueño. Y Mira de Ames-
cua, el poeta granadino, hará en su *Esclavo del demonio*
que éste, incapaz—pues tanto no puede—de forzar el albedrío de Leonor, se la entregue a don Gil bajo una apa-

rente imagen cuyo desengaño es un esqueleto. "¿Yo no gocé de Leonor?", se preguntará al verlo; y cuando reclama al demonio por la estafa sufrida,

> *...Pues que di un alma inmortal*
> *Por unos pálidos huesos.*
> *Mujer fue la prometida;*
> *La que me diste es fingida,*
> *Humo, sombra, nada, muerte.*

el demonio le replica:

> *¿Y cuando no es de esa suerte*
> *El regalo de esta vida?*

Es la misma actitud de Calderón. En el terreno práctico, y pese a todos los posibles engaños, el sueño difiere de la realidad de la vida temporal: frente a la eterna, sin embargo, aquélla muestra una inconsistencia que la asimila en su estofa a los sueños. También Quevedo, en el segundo terceto del soneto aducido, despierta "del dulce desconcierto", y al despertar se le desvanece la incertidumbre acerca de la calidad, real o soñada, de su experiencia: sabe que estaba dormido y que ahora está despierto: es el desengaño hacia el que se desliza desde el tono lírico del primer verso de la estrofa hasta el tono filosófico-elegiaco de los dos restantes, donde equipara vida y muerte mediante el empleo de una doble paradoja que una vez más reúne a los contrarios.

Pero su intención, en cambio, no es aquí la de proponernos un desprecio cristiano del mundo que desvaloriza como un mero sueño la vida temporal en comparación de la eterna. La nueva pareja de contrarios que introduce ahora y con la que ahora juega ("vida-muerte" en lugar de "vida-sueño"), apunta en otra dirección. Imagen espantosa de la muerte, el sueño pasa a identificarse con aquello que preludia y anticipa. "To die—to sleep— / To sleep! perchance to dream". Se trata, por supuesto, de una intuición muy antigua, que—dicho queda—los antropólogos atribuyen al hombre primitivo como base de sus creencias animistas; en todo caso, está documentada en una larguísima tradición literaria.

Cuando, en el soneto que comentamos, pretende Quevedo haber estado vivo con la muerte y estar muerto con la vida, lo que su paradoja expresa es, sencillamente, que durante el sueño (equiparable a la muerte) había alcanzado la intensidad vital del amor que se logra, mientras que el despertar, con su desengaño, lo había privado de esa vida intensa, reduciéndolo al estado que otro poema suyo describe: "Mejor vida es morir que vivir muerto". Si pensamos que estos extremos retóricos van dirigidos en ambos sonetos a una dama desdeñosa cuyos favores se pretenden en vano, sentiremos la tentación de ponerlo todo en la cuenta de la galantería convencional tan frecuente en la obra poética de Quevedo, que, muchas veces, llega a tocar en su afectación los tonos deliciosos del *rococó*.[2]

___

[2] Pueden verse, entre otros muchos, los sonetos "A un fénix de diamantes que Aminta traía al cuello" (en verdad, toda la serie de los dedicados a Aminta), o bien "A una dama que apa-

Pero, acerca de estas convenciones, debemos repetir algo de lo apuntado antes: cuando sirven al poeta para dar expresión a una auténtica experiencia lírica, lo que ellas pudieran tener de inerte adquiere, como el metal que sirve de vehículo y resistencia al paso de una corriente eléctrica, incandescencia maravillosa.

En los catorce versos de la composición que nos ocupa, la maravilla es perfecta, sus lugares comunes, y aun cada uno de los vocablos que entran a constituirla—pues ¿acaso los vocablos del idioma no son por excelencia ellos mismos los más comunes, los más frecuentados de todos los lugares?—se encuentran agrupados de tal manera—con tal arte, para emplear la palabra justa—que el lector recibe de su conjunto la evidencia de lo único e insustituible, de lo verdadero, de lo absolutamente original.

Y esto es así porque, en efecto, los sentimientos ahí comunicados corresponden esencialmente a la personal visión del mundo que el hombre Francisco de Quevedo tenía, según él nos la dio a conocer en obras de los más diversos géneros. A través de esas obras sabemos bien que para él apenas consigue ocultar la realidad esa nada que habita su seno y que es su inminencia; de muy diferentes maneras nos ha transmitido su percepción radical de que la vida humana es sólo progreso de la muerte en nosotros, crecimiento de una semilla de muerte. Dentro de la vena lírica, le dirá a la misma Floralba, ya

---

gó una bujía y la volvió a encender en el humo soplando", o "Al temor que tenía Lisi de los truenos".

envejecida: "Ves que la que antes eras, sepultada /
yaces en la que vives". De sí propio (y, puesto que "¡Fue
sueño ayer; mañana será tierra!") declarará: "Menos
me hospeda el cuerpo que me entierra". Y para ponderar la firmeza de su amor, lo afirmará en un futuro de
"polvo enamorado".

Con esto, el ocasional sueño erótico le hace al poeta
tocar estremecedoras profundidades metafísicas—"morir, dormir, quizá soñar"—y organizar su experiencia
en una estructura retórica de eficacia perenne, por virtud de la cual, a siglos de distancia, podemos seguir reviviendo hoy su momento lírico.

OBSERVACIONES SOBRE EL *BUSCÓN*

Cuando Quevedo escribe su *Buscón,* el género *novela picaresca* se encuentra ya perfectamente perfilado ante la conciencia literaria de la época. Por si no nos bastara el testimonio paladino que nos aporta Mateo Alemán, tenemos también el muy decisivo de Cervantes, quien, refiriéndose al supuesto y quizá proyectado libro de la *Vida de Ginesillo de Pasamonte,* hace alardear a éste "que mal año para *Lazarillo de Tormes* y para todos cuantos de aquel género se han escrito o escribieren". Por consiguiente, no hay duda alguna de que el *Buscón* fue concebido por su autor como una novela picaresca, lo cual no hubiera podido afirmarse, claro está, a propósito de quien escribió el *Lazarillo,* ni siquiera del propio Mateo Alemán; pero que, a partir de ahí, será el supuesto del que arranquen, en cambio, cuantos novelistas han producido algún espécimen catalogable dentro de dicha rúbrica.

De acuerdo con tal propósito, Quevedo se ajusta en su novela a las condiciones formales que definen y caracterizan al género. Nos va a ofrecer la autobiografía de un héroe negativo, ese tipo de antihéroe que ya entonces se conocía bajo el nombre de *pícaro,* y cuya inestabilidad social le hace saltar de un ambiente a otro, de una situación a otra, creando así las oportunidades para ese estilo de sátira del mundo al que, muy imprecisamente, ha solido calificarse de *realismo.*

Por supuesto, la sucesión temporal de episodios se encuentra ligada a la novela de manera indisoluble, como género literario que, en principio, se propone expresar el sentido de la vida humana; porque ésta, al desplegarse, asume con espontaneidad y casi con forzosidad esa obvia estructura, induciendo hacia la línea del relato. *Don Quijote,* la archinovela, no consiste en otra cosa sino en la serie de sus aventuras, a través de las cuales (esto es, en su virtud) se nos revela el héroe—y en ello está el *quid.* Ya hemos visto en otro estudio,[1] con referencia al *Lazarillo,* cómo en la figura proverbial del mozo de ciego, que sirve de engarce a varios cuentos, algunas veces tomados del folklore, la genialidad de su desconocido autor ha infundido, mediante esas peripecias, una realidad profunda, con cuyo toque adquiere el protagonista vida individual y nos convence, convirtiéndose en verdadero sujeto de novela.

Es en este proceso como llega a constituirse la novela, tal cual hoy entendemos y reconocemos el género. El interés del lector se ha desplazado desde el cuento (es decir, desde aquellos episodios sueltos, en sí mismos divertidos, según los hallamos, acaso, en las colecciones de Timoneda o de Juan Rufo, o en la *Miscelánea* de Zapata, quien hace sufrir a un hidalgo portugués el lavado de barbas infligido luego por Cervantes a Don Quijote en casa de los duques) hacia esa concreción de vida humana singularísima que es cada personaje, o que son,

---

[1] " 'El Lazarillo'. Nuevo examen de algunos aspectos", en *Los ensayos: teoría y crítica literarias* (Madrid: Aguilar, 1972).

en su trabado conjunto, los personajes de toda auténtica novela. Pues ésta, según, subtituló Mateo Alemán su segunda parte del *Guzmán de Alfarache,* es "Atalaya de la vida humana".

Desde tal punto de vista, el *Buscón* debería considerarse como un fracaso: no responde al nuevo concepto del género *novela,* que Cervantes había conducido a un punto de plenitud en la dirección iniciada por el tercer tratado del *Lazarillo,* y que aun dentro de las limitaciones del subgénero *picaresco,* había avanzado pasos muy decisivos. Pues si bien es cierto que Alemán se coloca para atalayar la vida humana en una perspectiva teológico-moral que presta al libro, no obstante su esplendor, ese tinte anacrónico de tantos productos culturales de la Contrarreforma, empeñados en una imposible restauración de actitudes espirituales abolidas por el Renacimiento, tampoco debe olvidarse que, aun siguiendo la tradición medieval de los *castigos* o escarmientos, concita alrededor de su protagonista una intensa participación vital, por cuya virtud entra el lector a compartir la congoja de su destino ficticio; y a través de esta experiencia de índole estética gana una intuición del sentido de la vida humana, de toda vida humana, que es ya, a pesar de todo, *moderna.* Sería interesante apurar en qué medida contribuye a este resultado el hecho de que la Contrarreforma opera y tiene que operar forzosamente dentro de las condiciones histórico-sociales creadas por el Renacimiento. En ellas, la técnica popular del relato autobiográfico, más o menos fantaseado, que sin duda se cultivaba por entonces de viva voz en posadas y campamentos con mayor frecuencia que mediante el deliberado ejercicio de las letras, se desarrolla a impulsos de la gran curiosidad y apetito vital que la nueva época ha producido con su fabulosa apertura de perspectivas, mientras que, por otra parte, se enriquece con la profundidad de análisis adquirida en el desnudamiento de la confesión, sacramento sobre cuya práctica se insistía tanto ahora.

A diferencia del *Guzmán de Alfarache,* en el *Buscón* no se descubre intención didáctica, no se alternan con sermones los pasajes de acción, ni la conducta humana aparece colocada en una alternativa tensa entre el bien y el mal. Apenas el párrafo último, donde se anuncia la segunda parte, terminará con la reflexión de que al protagonista le fue peor en las Indias, "pues nunca mejora su estado quien muda solamente de lugar y no de vida y costumbres", tomada de un texto bíblico que a la sazón traducía Quevedo. Éste nos ofrece en su novela, igual que en los *Sueños,* el mundo como mero espectáculo que el lector enfrenta con marcada distancia, y en el que no participa de manera alguna. La suerte de don Pablos le es ajena: el Gran Tacaño funciona como la percha de que su autor cuelga aquellos cuentos que ha oído o que ha inventado (algunos, como el de la burla de la vieja que llamó de *pío, pío* a los pollos, o el de Poncio Pilatos, tienen un inconfundible aire de chascarrillos populares y parecerían sacados del *Sobremesa y alivio de caminantes* o de otro centón cualquiera), y no se nos presenta nunca como una conciencia individual con la que podamos entrar en relación. Las cosas que hace o que le pasan (muchas más éstas que aquéllas, en resumidas cuentas), lejos de servir para la revelación de la intimidad del personaje como función vital suya, lo hacen increíble a veces; no contradictorio a la manera de toda alma humana entregada a los azares de la existencia, sino incongruente. Se advierte bien que a Quevedo no le importaba tanto su criatura como el juego del ingenio y el centelleo de las palabras, mediante el cual distorsiona la realidad hasta lograr un efecto estético de veras asombroso. Así, por ejemplo, cuando al comienzo nos habla el protagonista acerca de sus progenitores y parientes, del padre, de la madre, del tío verdugo, no es tanto para insistir sobre la parodia de la ilustre genealogía del héroe, aunque al hacerlo se ajuste a la pauta establecida por la novela picaresca, como para desenvolver por cuenta del autor una visión corrosiva de la realidad. Su intención, lejos del *realismo* que le ha atribuido, desde su particular perspectiva, la crítica del siglo XIX, no es la de suscitar en la imaginación del lector el ámbito de circunstancias concretas donde surge, se mueve y comienza a bregar con el mundo esa particular vida humana que va a ser objeto de la novela, sino, más bien, la de destruir, al desvalorizarlo, ese mundo: el mundo en toda su amplitud, el mundo en sí mismo.

Pues lo cierto es que el objeto hacia el que se dirige la atención de Quevedo no es la sociedad, o determinado sector de ella (en cuyo caso podría hablarse propiamente de sátira), no es el mundo de Pablos, sino "el mundo por de dentro". Si en lugar de interpretar el *Buscón* según pautas novelísticas y desde el ángulo del género literario cuyo concepto se refiere, sobre todo, a la línea cumplida por Cervantes, lo colocamos en el contexto de los *Sueños,* de *La hora de todos* y del conjunto de la obra quevedesca, en prosa y en verso, estaremos en mejores condiciones para descubrir su sentido, que apunta a la desvalorización incondicional y definitiva de la realidad de la existencia. Quevedo se propone disolver esta realidad en el caos, la destruye, la niega. Al escribir una novela picaresca, su novela picaresca, quiere reflejar una vez más, ahora en forma narrativa, lo que dentro de los más diversos géneros poéticos ha procurado hacernos ver con tan insistente frecuencia: el sinsentido grotesco del mundo. Se trata de una actitud metafísica cuyo fondo poco tiene en común con el ascetismo cristiano y su desconfianza frente a ese enemigo del alma al que llamamos Mundo; pues si Quevedo desprecia a éste, si degrada lo temporal, no es tanto para exaltar por contraste—según lo hace en su obra Mateo Alemán—el valor absoluto de la vida eterna como para reducirlo a su inanidad última.

Claro está que la decisión de escribir una novela (es decir, de moverse inventivamente dentro de un género literario ya establecido) tenía que imponerle ciertas pautas, que son inmanentes a la estructura misma de ese género, cualquiera que fuese la intención profunda y la esencial inclinación del autor. La novela, desde Cervantes y ya para siempre, comportaba un intento de penetración radical en el sentido de la vida humana, encaminado a buscar respuesta para las cuestiones fundamentales ya no satisfechas de una manera completa por la dogmática oficial que las autoridades sostienen (y de ahí su auge social, su popularidad creciente a lo largo del mundo moderno). La creación cervantina consistió en escrutar la experiencia del humano vivir para extraer de ella, en forma directa, una doctrina, una *ejemplaridad,* en lugar de ofrecer esa experiencia como ilustración corroborativa de una doctrina formulada de una vez por todas fuera de la novela y sostenida por las instituciones sociales. La comparación entre Cervantes y Alemán, católicos irreprochables ambos, muestra bien la diferencia de perspectivas. Mientras este último expone las verdades de la concepción católica del mundo y la aclara mediante los *castigos y documentos* que suministra, en casos sucesivos, la vida de Guzmán de Alfarache, Cervantes cumple, se adelanta a cumplir en el campo de la novela, una revolución cartesiana; y así como Descartes *demostrará* la existencia de Dios a partir del yo pensante, para colocar sobre este nuevo fundamento el sistema de creencias que ha puesto en conserva a título provisional, el autor de las *Novelas ejemplares* somete la existencia a una análisis radical y espera que ella misma revele a su conciencia la validez de aquel sistema (es decir, solicita a la íntima realidad del mundo, en cuyo sentido cree, para que se manifieste a una conciencia individual ahora de veras soberana). Para este efecto, la novela, con su presentación de personajes fingidos dentro de conexiones vitales, era el instrumento adecuado. El relato tradicional, eterno, se convierte con la innovación cervantina en novela moderna.

Pero Quevedo—personalidad fascinante que espera

todavía, pese a varios intentos muy valiosos, el estudio condigno—, Quevedo, en cambio, no cree en el sentido de la realidad. Su mente asombrosa opera en dos planos fundamentales; y si como pensador moralista se atiene a un estoicismo cristiano de raíces clásicas y se nos aparece como un católico ortodoxo (demasiado obvio, sospechosamente conforme y a-crítico), en cuanto artista, como poeta, en el fondo último de su ser, nos presenta la realidad por el revés negativo, las cosas y personas abocadas a la nada, siendo ya en presencia su nada inminente, con una negación del mundo que no implica desvalorización ascética, sino aniquilación metafísica. Puesto a escribir una novela, acepta, sin hacerse tampoco cuestión de ella, la estructura formal del género picaresco, tan conveniente a su propósito de volatilizar toda realidad; y dentro de las convenciones establecidas, procede a redactar una vida de pícaro. Tenemos ahí al pícaro mismo, un tipo literario bien conocido y perfilado ya para entonces, con su estirpe infame y sus diversos avatares, que tal pueden llamársele a las sucesivas personificaciones que asume. Ni siquiera nos falta el rasgo, que tiende a fijarse, de la promesa de continuación al final del relato autobiográfico. Lo que sí nos falta es *vida* propiamente dicha, una vida con la que, de algún modo, pueda identificarse el lector, pues lo que se le ofrece a éste es más bien el espectáculo alucinante de un tinglado que se deshace en astillas, en polvo, en humo, al menor contacto, con sólo fijar sobre él la mirada.

Así, el *Lazarillo* nos había procurado ya, con su impulso renacentista, un pregusto cervantino, sobre todo en su famoso tratado tercero, donde percibimos el temblor emocionante de una realidad humana que se nos revela por sí misma, evidente y misteriosa a la vez. El *Guzmán de Alfarache,* producto de la Contrarreforma con sus intenciones tradicionalistas, nos desengaña de este bajo mundo, cuyas trampas debemos sortear para que nuestro paso por el *valle de lágrimas* nos restituya al perdido paraíso por sendas de renunciación ascética. Quevedo, en su *Buscón,* quiere enfrentarnos con la nulidad del existir. La perspectiva a que nos asoma es una negra sima: la nada. Aquí, como en su poesía lírica mejor, como en sus mejores sátiras, como en sus fantasías alegóricas, el desengaño es definitivo, desesperado, total.

Fácil es comprender, siendo así, la razón del que antes he llamado fracaso del *Buscón* en cuanto novela, no obstante lo gran novela que es, a pesar de todo. Apenas hace uso en ella Quevedo de esa lúcida y fulminante penetración psicológica con que sabrá esclarecernos el entrejuego de los *Grandes anales de quince días,* haciéndonos entrar en el interior de aquella revolución palatina y entender su desarrollo; porque aquí, en su novela picaresca, los propósitos del escritor no han sido los del historiador y político moralizante, ni pretendió tampoco, a la manera del novelista moderno, declarar a través de su personaje ficticio el sentido de la humana existencia, sino más bien el sinsentido del mundo; para cuyo efecto don Pablos no tiene que ser mucho más que el sujeto narrador en los *Sueños,* apenas caracterizado:

hilo por donde se ligan cuadros o visiones sucesivas del metafísico absurdo.

Ahora bien, si Quevedo no promueve en esta obra un acercamiento radical a la experiencia de la vida; si en definitiva no nos pone en contacto con la de su pícaro ni nos lo hace convincente como criatura, nos da a conocer, en cambio, algo, bastante en verdad, sin habérselo propuesto, acerca de su propia íntima estructura. Quiero decir que, forzado por las exigencias de un género narrativo cuya materia no es otra sino la estofa del vivir, se traiciona y deja algunas rendijas a través de las cuales podemos escrutar dentro del alma, tan hermética, del personaje real don Francisco de Quevedo y Villegas, cuya fuerte y siempre alerta intelectualidad suele recatarnos con cautela suma a su yo secreto. Por lo mismo que no llegó a configurar entes imaginarios que valieran como objetivación significativa de la vida humana, por lo mismo que el autor, con todo su inmenso talento, no cumplió obra de novelista, al echarse a discurrir creativamente dentro de los moldes de la novela no puede evitar que alguna vez, inadvertidamente, leamos en las claves de su fingido don Pablos señales sutiles que nos instruyen acerca del auténtico don Francisco.

Sutiles, digo, pues de tal escritor, siempre sobre aviso, nadie hubiera podido esperar la ingenuidad de volcarse en una expresión directa, ni, por otra parte, pertenece a la estirpe de aquellos consumados inventores de un mundo poético nutrido por completo de la propia experiencia, pero tan cristalizada ésta en formas de arte que, por virtud de esa alquimia, queda desprendida de sus raíces personales. Quevedo era incapaz de esa especie de cinismo mágico con que otros artistas muestran su desnudo hecho estatua. Su pudor extremo confía a la inteligencia la guarda de sus intimidades, y sólo alguna vez, por descuido, las descubre fugazmente.

Tomemos por vía de ejemplo el sentimiento de vergüenza, que ocurre en el *Buscón* con una frecuencia y una intensidad bastante reveladora ya de por sí. Si el avergonzarse condijera con el esquema de la personalidad de Pablos, si ello estuviera en su índole presunta, este rasgo podría integrarse con otros para componer su carácter, dándonos a conocer al personaje. Pero resulta que, lejos de ser así, don Pablos no se define ante los ojos del lector por sus reacciones de vergüenza, ni éstas casan en manera alguna con el resto de su conducta: son incongruentes con cuanto hace o de él sabemos; de modo que rasgo tan marcado carece de adecuada función en el concepto de la obra e introduce en ella un factor alógeno, sorprendente y aun perturbador. Las situaciones son diversas. La sensación de vergüenza que por vez primera vemos sufrir al protagonista se produce al conocer la condición de sus padres. En el capítulo primero nos los había presentado ya el narrador autobiográfico *desde fuera,* es decir, desde una perspectiva análoga a la del Lazarillo que escribe, instalado en su oronda abyección actual, el cuadro de sus orígenes como parodia antiheroica. Sin embargo, la vergüenza que siente el muchacho Pablos al comprobar, por tácita confesión de la madre, que ésta lo ha concebido, como dice, "a escote entre muchos", es un sentimiento compulsivo, de intensidad fulminante, pues declara: "Yo con esto quedé como muerto, y dime por novillo de legítimo matrimonio, determinado de coger lo que pudiese en breves días, y salirme de en casa mi padre: tanto pudo conmigo la vergüenza".

Más adelante, y a raíz de las novatadas en Alcalá, pondera Pablos: "Quién dirá lo que yo pasaba entre mí, lo uno con la vergüenza, descoyuntado un dedo", etc. La muerte del padre, ajusticiado, la sentirá como "nueva afrenta". Y luego volverá a brotar, irreprimible, la vergüenza cuando, en Segovia, se encuentra con su tío, el verdugo: "Yo, que estaba mirando esto con un hombre (a quien había dicho, preguntado por él, que era yo un gran caballero), veo a mi buen tío, y que echando en mí los ojos, por pasar cerca, arremetió a abrazarme, llamándome sobrino. Penséme morir de vergüenza. No volví a despedirme de aquel con quien estaba. Fuime con él, y díjome: 'Aquí te podrás ir, mientras cumplo con esta gente; qua ya vamos de vuelta, y hoy comerás conmigo'. Yo, que me vi a caballo, y que en aquella sarta parecería punto menos de azotado, dije que le aguardaría allí; y así me aparté tan avergonzado, que a no depender de él la cobranza de mi hacienda, no le hablara más en mi vida ni pareciera entre gentes". Luego, en la casa: "Yo, que vi cuán honrada gente era la que hablaba con mi tío, confieso que me puse colorado, de suerte que no pude disimular la vergüenza".

¿De dónde saca don Pablos tanta vergüenza? El lector se lo pregunta, un poco asombrado. Y no sólo porque, desde que abrió los ojos al mundo, se encuentra familiarizado el pícaro con la vileza, sumido en la abyección, sino porque en toda su historia no se advierte un mínimo movimiento que permita inferir en él nobleza de alma. Ésta puede ser cualidad innata aun en el hombre de más bajo nacimiento; pero Quevedo no ha pensado jamás en atribuírsela al Gran Tacaño. Y, sin embargo, sus reacciones de rubor son muy frecuenes y de una intensidad sumamente vívida, inadecuadas de todo punto a la catadura moral y consecuente conducta del sujeto.

Veámoslo—un ejemplo más—cuando se cae del caballo ante los ojos de su cortejada. Dice: "Todo esto pasaba delante de mi dama y de don Diego. No se ha visto en tanta vergüenza ningún azotado". Y como en esta escena, en tantas otras. Las situaciones desairadas, afrentosas, donde ya no cabe escapatoria ni disimulo, se multiplican, y con ellas la sensación aflictiva del anonadamiento: "Quedé como muerto"; "penséme morir de vergüenza"; "me puse colorado". Queriendo que se lo trague la tierra: escapar, huir, perderse donde no sea conocido, desaparecer, en fin.

Resorte psíquico tan poderoso, funcionando una y otra vez, y otra, con violencia insufrible, en medio de un libro particularmente pobre en emociones, y referido a un personaje ficticio, a cuyo carácter, sentimentalmente árido, en manera alguna corresponde, nos autoriza a dirigir la vista más allá del Buscón mismo e inferir que se trata de un rasgo del propio autor. A través de esa rendija descubrimos algo de la estructura íntima del alma de Quevedo y podemos sospechar que la marea del rubor, asaltando, imbatible, hasta el extremo del anonadamiento, era una reiterada experiencia suya, que por lo demás no resulta difícil relacionar con su visión metafísica del mundo como algo inestable, en inminencia de disolución, abocado a la nada.

Sólo a una consideración muy superficial le sonará a paradójico el aserto—o, si se prefiere, la conjetura—de que don Francisco de Quevedo, con todas sus famosas procacidades, era un alma extraordinariamente púdica. Esas procacidades mismas le sirven como una cortina de humo para defender su pudor. Hay escritores transparentes, a través de cuyo estilo, de cuya invención poética, se asoma el hombre en demanda de nuestra simpatía, y hay escritores recatados, que hurtan el bulto y se nos escapan de entre las manos. Compárense Lope de Vega y Calderón, el primero confesándosenos de todas maneras, el segundo proponiéndonos una belleza de esfinge. Pocos escritores habrá habido nunca tan secretos como Quevedo. Su esgrima literaria lo tiene siempre en guardia frente al lector. ¿Diríamos que la intensidad y frecuencia, de veras notable, con que nos presenta muriéndose de vergüenza a su desvergonzado don Pablos constituye uno de los pocos momentos en que baja esa guardia y, muy a pesar suyo, nos consiente una oportunidad de tocar su carne y presenciar la afluencia de su sangre?

De cualquier modo que fuere, quien emprenda el estudio a fondo, que todavía no se ha hecho, de este singularísimo y enormemente complejo escritor, tendrá que aventurarse (además de seguir otros muchos caminos paralelos y transversales) en la exploración del hombre a través de su obra. Y bien conocidos son los peligros de exploraciones tales, las celadas que encuentran, los equívocos a que suelen dar lugar...

HACIA UNA SEMBLANZA DE QUEVEDO

Desde hace ya no pocos años vengo dándole vueltas en el magín al proyecto de ensayar un estudio de la figura de Quevedo que ponga a contribución, desde luego, los datos conocidos de su biografía, pero conectándolos con un escrutinio de sus escritos destinado a iluminar y explorar la singularísima y tan elusiva personalidad de este poeta. Creo que, en su caso como en todos, sólo en en el punto de articulación entre el hombre real que es o fue su autor y la obra que nos ha entregado puede alcanzarse a comprender la creación artística. Ésta se encuentra dada, por supuesto, dentro de una estructura objetiva cuya validez no depende de consideraciones circunstanciales; y sin duda puede ser entendida como una forma autónoma con significación propia, desprendida por completo de su autor. Es más, la historia del arte abunda en ejemplos para los que tal modo de consideración resulta forzoso, pues nada más sabemos de él sino aquello que la obra misma nos dice o deja adivinar. No olvidemos, sin embargo, que esa *forma* significativa, independiente y válida por sí misma, sería cosa muerta, un objeto inerte, a menos que alguien capaz de captar su sentido respondiera a ella. Sólo en la experiencia de un lector, espectador u oyente, esto es, de un ser humano concreto cuya afinidad sentimental le permita recogerla y hacerse cargo de ella, vuelve a activarse y a cobrar vida, a resplandecer. Pero ¿qué es lo que en ella reverbera? Pues la experiencia original plasmada por el autor en la estructura artística de su obra. En definitiva, dicha obra no pasa de ser sino el dispositivo montado por un individuo de capacidades artísticas extraordinarias para organizar y preservar su percepción estéticamente valiosa en beneficio nuestro, es decir, de quienes, a partir de ahí, puedan revivirla y seguir recreándose en ella. La obra constituye, pues, en su objetividad y gracias a esa objetividad, una instancia mediadora entre el espíritu creador—cuyas circunstancias como hombre concreto acaso nos sean desconocidas—y nosotros, los receptores, que captamos ahora, en nuestra actualidad, la luz irradiada por aquel cuerpo celeste quizás extinto hace ya mucho tiempo, y empezamos a vibrar por efecto suyo. El insistir sobre la independencia de una obra—poema, sinfonía o pintura—desentendiéndose aposta de la personalidad de su autor habrá podido estar justificado y ser plausible en algún momento como correctivo a los abusos del sociologismo superficial que propende a reducirla, cuando no a sus aspectos anecdóticos, por lo menos a sus supuestos e implicaciones históricos. Pero nunca debe perderse de vista que si la obra de arte pervive con pretensiones de eternidad es en virtud de su aptitud para despertar una vez y otra, y siempre de nuevo, a lo largo de generaciones sucesivas, las radicales vivencias que el autor encerró en sus términos. Contemplar un cuadro, escuchar una sinfonía o leer un poema vale tanto como penetrar el sentido de la experiencia espiritual que un sujeto único, un determinado ser viviente, supo recoger y construir mediante un juego de colores, notas o palabras.

Vana es, por lo tanto, la actitud de quien se proponga omitir o degradar como cuestión indiferente, accesoria y de simple curiosidad el conocimiento del hombre que ha producido una creación memorable. Gozar de ella es, precisamente, alcanzar ese conocimiento por vía intuitiva y en un modo esencial. Cualquier obra donde una proyección del espíritu se encuentre plasmada nos entrega el núcleo activo del hombre que la cumplió; pero quizás sea, entre todas, la obra de arte la que nos ofrece una indicación más veraz, más pura, el documento más fehaciente posible acerca de la personalidad de su autor, pues éste, al elaborarla, se ha movido en un ámbito de relativa libertad, por contraste con la presión de las circunstancias prácticas que suelen oprimir al ser viviente en su existencia cotidiana tornando equívocos y de interpretación siempre dudosa los datos disponibles de su biografía. En cambio, la creación artística, por seria y grave que pueda ser, nace siempre con la gratuidad de los juegos en el recinto sagrado de la intimidad; y así, aun cuando su apariencia pueda resultarnos misteriosa y reclame de nosotros un esfuerzo arduo, nos consentirá probablemente a la postre, no sólo discernir a través del análisis crítico las intenciones y propósitos que animaron al artista en su tarea, sino también aquellas intuiciones hondas de las cuales ni siquiera él mismo tuviera acaso noción precisa al cumplirla, y que nosotros detectamos, quizás también con la calidad de lo inefable, reviviendo en un espíritu de cálida simpatía su original experiencia estética. Y sólo en función de este conocimiento inmediato—personal, diría— que del hombre nos ha proporcionado su obra, adquirirán ahora sentido exacto y pleno las peripecias de su paso por el mundo, consabidas o averiguadas.

Si tal puede afirmarse con carácter de principio y es aplicable a toda clase de personalidades, incluso aquellas de expresión más directa, sincera e ingenua, ¿qué no ocurrirá cuando hemos de abordar una intimidad anímica tan recatada y arisca como la de Quevedo, tan abismática, de recovecos tan complicados, de opacidad tan impenetrable? ¿Cómo iluminar esa secreta, oscurísima y extraña caverna, tanto más inabordable cuanto que la leyenda constituida alrededor de su desconcertante figura ha recubierto de formaciones grotescas la entrada? No hace falta ponderar la dificultad del empeño. Quizás por sentirlo superior a mis fuerzas, no veo nunca llegada la hora de acometer ese proyecto que durante años tengo arrinconado en el desván de las buenas intenciones. Para no desecharlo de una vez, y para evitar que éstas empiedren mi infierno privado, me decido ahora a dejar consignadas aquí, siquiera, a manera de apuntes o notas, varias observaciones que acaso otro más afortunado o mejor dotado que yo pudiera más adelante tomar en cuenta y discutir en el camino hacia esa semblanza plausible del poeta de la que hoy carecemos. Meros apuntes y notas son, pues, los que aquí propongo, con toda modestia y sin ninguna pretensión concluyente, al juicio público.

Tomemos como punto de partida esa calidad inmediata de las almas que se nos revela de modo intuitivo al entrar en contacto con su expresión, y tanto más cuando esta expresión asume forma literaria adquiriendo las dimensiones intelectuales que todo uso del lenguaje hace ineludibles. Se trata de un punto de partida no sólo legítimo sino también—creo yo—muy prometedero y fecundo. Comparando, por ejemplo, la actitud espontánea y sincera—sincera hasta la impudicia—que exhibe Lope de Vega, con la manera reservada, envuelta y formal de Calderón, altísimos poetas ambos, se nos aclara bien la índole de su poesía respectiva y la entendemos más a fondo hasta en sus recursos técnicos. Aunque no poseyéramos la enorme masa de documentación, desde el epistolario hasta los archivos judiciales, con que el primero de ellos dejó sustanciada la impulsividad de su temperamento—y tal abundancia de datos es, ya de por sí, un dato más—sus obras mismas, la facilidad con que nos entrega, incólumes aunque transformadas por gracia natural en purísimo lirismo, sus emociones, bastarían a declarar el temple de su alma. ¿Hace falta saber que el "mayoral extraño" del soneto CLXXXVIII era Perrenot de Granvela, y el manso perdido Elena Osorio, para que ésta siga mirándonos al cabo de los siglos tal cual Lope se sintió mirado: "los ojuelos tiene / como durmiendo en regalado sueño"?... A la inversa, cuantos datos consiguiéramos averiguar sobre los pocos que se tienen acerca de la vida de Calderón no disiparían nunca la impresión que su poesía nos deja de un decoro y distancia guardados mediante formas implacables: Calderón nos tiene a raya. Y no quiera relacionarse la sencillez y espontaneidad del uno o la compleja hermeticidad del otro con la distinta amplitud de sus horizontes intelectuales. Cierto que, a la capacidad lírica en verdad fabulosa de Lope se une en Calderón un vigor mental de que aquél carecía; pero la cuestión no es ésa. Pensemos en Cervantes, una inteligencia tan poderosa en alcance como en penetración, cuya finura no impide, sin embargo, que su espíritu sea para nosotros como el agua clara, pues en él la ambigüedad suma se combina increíblemente con la suma transparencia. Por mucho que sus palabras sirvan a las más recónditas sutilezas de pensamiento y actitud, el lector encuentra en seguida, a través de ellas, al ser humano de quien proceden, y toca su alma.

Lo contrario ocurre con Quevedo. Quevedo interpone el lenguaje como un medio denso, turbio, aislante, entre su intimidad y nosotros. No se trata, en su caso, de la noble reserva ceremonial de un Calderón, ni de la reticente y dolorida discreción del diplomático Saavedra Fajardo o de la ironía cautelosísima del jesuita Gracián. Él no quiere concedernos ni siquiera los resquicios desde los que cada uno de aquéllos nos hace señas disimuladas para que, si somos agudos, nos asomemos a escrutar sus mundos secretos; menos aún, nos entregará la llave con que un Góngora facilita a los cultos el acceso a su camarín y el goce de sus joyeles. No estamos ya ante una u otra forma de aristocrática dignidad, sino más bien ante una hostilidad beligerante que procura rechazarnos, espantarnos, alejarnos, negarnos, destruirnos, y que desde luego deja en nosotros inquietud, malestar. Leerle es, en efecto, sentirse desazonado, inseguro y extraño. Esa sensación de extrañeza, por contraste con la irresistible simpatía que nos atrae hacia Cervantes, será la que domine, en cambio, nuestras confrontaciones con Quevedo: un pájaro raro, en verdad; un sujeto pintoresco.

Que nuestros conocimientos de estudiosos y literatos no nos hagan pasar por alto el hecho de que, para otros, Quevedo ha llegado a ser y no es otra cosa sino un personaje folklórico. Aun para aquellos que todo lo ignoran acerca de su obra poética y de su figura histórica, e incluso que ni siquiera saben leer, su nombre no es desconocido: significa algo. Desde los Pirineos al estrecho de Magallanes, en toda la extensión del idioma, las gentes analfabetas y los chicos de la escuela se divierten repitiendo de generación en generación los cuentos de Quevedo. A él se le atribuyen anécdotas, salidas, chistes y chascarrillos, casi siempre escatológicos, que a lo mejor figuraban ya en alguno de los centones impresos con anterioridad a las fechas de su vida, o que resultan provenir nada menos que del antiguo Indostán. En esto puede verse, desde luego, una proyección legendaria de su verba satírica y burlesca y, por lo tanto un fenómeno de deformación vinculado, después de todo, a un aspecto real de su obra literaria. Pero observemos que, junto a esa figura de folklore: el Quevedo sujeto de ingeniosas procacidades, también hubo de formarse en seguida una leyenda que lo hace protagonista de aventuras no-

241

velescas, tales como las que cuenta su biógrafo primero, Tarsia, donde resplandecen heroicamente su valentía y su destreza, de modo que si por un lado su nombre pertenece a la familia de Maricastaña y el rey Perico, con cuya caterva él gustaba de jugar, aparecería por el otro envuelto en la aureola de las figuras románticas.

¿Y no será esto señal clara de que algo en la personalidad de Quevedo induce a tales formaciones legendarias, de que esos rasgos excesivos, descomunales, lejos de ser resultado de la casualidad o de las circunstancias, emanan necesariamente del núcleo mismo de su personalidad? Quienes en nuestro tiempo hemos tenido ocasión de asistir al revestimiento de otro gran escritor español: Valle-Inclán, con el atuendo de una leyenda pintoresca podemos imaginar mejor lo ocurrido en el caso remoto con ayuda del próximo. No sin propósito he empleado aquí el verbo "revestir", el sustantivo "atuendo" y el adjetivo "pintoresco": un cierto elemento de disfraz hay sin duda en todo ello; y si la marca de Quevedo son sus quevedos, a Valle lo caracterizaría Gómez de la Serna como "primer premio de máscaras a pie".

Ahora bien, la máscara, el disfraz, tienen una finalidad de ocultación. Quien se pone una careta lo hace para no ser conocido, para equivocar acerca de su identidad o, mejor quizás, para sustituirla por una apariencia falsa, es decir, para ser conocido por la careta, haciendo que en ella se detenga y quede prendida la atención ajena sin pasar adelante; para despistar a los demás divirtiéndolos, distrayéndolos de aquello que desea ocultarse. Y ¿qué sería lo que quiere ocultarse con tanto ahínco?

No esta cosa o la otra, no nada concreto, sino ese algo siempre elusivo que es el yo esencial. Lo que con ello se pretende en definitiva es defender la propia intimidad. Y bien podemos sospechar que quienes así se hurtan y ocultan del prójimo han de ser almas extremadamente sensitivas, cuya delicadeza les hace temer cualquier contacto. Frente a la amenaza múltiple e incesante que es el mundo en torno para cada uno de nosotros, ciertos espíritus, que acaso unen a la suma blandura una intensidad y vigor descomunales, se construyen un parapeto defensivo tras del cual puedan mirar sin ser vistos, y desde cuya barbacana arrojan esas flechas envenenadas que mantienen a una distancia respetuosa a los potenciales asaltantes.

Claro está que el aspecto indumentario o cualquier detalle llamativo en el aliño—o desaliño estudiado—con que la persona se ofrece al público es tan sólo un indicio entre otros acerca de la disposición de su ánimo, y puede tener significaciones diversas. Todos los miembros de la generación del 98 tendieron a distinguirse por su arreglo externo como símbolo de su protesta contra el orden de la sociedad en que vivían, y hasta cabe que alguno se plegase a esta tendencia, paradójicamente, por conformismo con su grupo. En Valle-Inclán mismo resulta evidente que esa apariencia física singular, elaborada de acuerdo con la práctica común de sus compañeros, se desplegaba en función de lo que había de constituir su leyenda, contribuyendo al efecto aislante que he señalado. Por lo que se refiere a Quevedo, no parece que él se apoyara—o, si acaso, sólo en medida mínima—sobre elementos de este tipo para producir un efecto chocante. Pero si no fue "máscara a pie", es indudable, en cambio, que la mordacidad de su implacable y fulminante ingenio le creó esa fama de bufón temible de que testimonian los dicterios contemporáneos y de donde proviene la imagen popular que la posteridad nos ha conservado. Uno de sus detractores, el que se firma don Juan Alonso Laureles, dice de él, por ejemplo, que es "celebrado por Momo de este siglo", acusándolo luego de que se deja llevar de su condición burlona y habla "solamente para provocar a risa al vulgo indocto e indócil"... Lo importante es que, en virtud de la leyenda emanada de hombres tales—una leyenda pintoresca que en ambos casos incluye rasgos de gallardía admirable, aunque también extravagante—, asumen frente a los demás el carácter de bichos raros, desanimando todo intento de aproximación al recinto de su intimidad, demasiado tierna y vulnerable.

¿Un alma tímida y pudorosa la de este Quevedo, el gran chocarrero, el proverbial deslenguado, el cínico y satírico procaz? No dejará de causar sorpresa e incredulidad en más de un lector semejante atribución. Y sin embargo, sí: un alma pudorosa y tímida. Éste es para mí el secreto de su personalidad.

A propósito del *Buscón,* señalaba yo antes [1] el hecho, a mi parecer significativo y muy revelador, de que este

[1] "Observaciones sobre el Buscón", pp. 219-233.

don Pablos, personaje de ficción al que con razón se ha motejado de esquemático y pura caricatura, figurón grotesco que su autor usa como instrumento para destruir la realidad y que en modo alguno pretende asumir la consistencia y verosimilitud de un ser humnao, se manifiesta a pesar de todo susceptible a un cierto sentimiento, y precisamente aquel sentimiento que menos corresponde a su traza según la novela nos la presenta; pues ¿quién había de pensar, ni sobre qué base, que el pícaro don Pablos, nacido y criado en una condición abyecta y siempre empantanado en ella, hubiera de sufrir súbitos accesos de vergüenza, tan atroces como los que en repetidas ocasiones le hace pasar su autor? A ese fantoche no le mueve a lo largo de las peripecias narradas ni el amor ni la compasión ni el odio ni la piedad ni en suma ningún sentimiento humano, positivo o negativo. Quevedo no se propuso al concebirlo e inventarlo —esto parece claro—crear una semblanza de humanidad, sino más bien una figura de escarnio por el estilo de las que pueblan sus *Sueños*; de modo que cuando, de improviso, vemos al fantoche, como varias veces ocurre, ruborizarse perdido de vergüenza (una vergüenza que no condice para nada con todo lo demás que acerca de sí mismo nos cuenta el personaje),[2] no podemos sino

[2] "Yo, con esto, quedé como muerto, determinado de coger lo que pudiese en breves días, y salirme de casa de mi padre: tanto pudo conmigo la vergüenza" (capítulo II, libro I).

"¡Quién dirá lo que yo pasaba entre mí, lo uno con la vergüenza, descoyuntado un dedo, y a peligro de que me diesen garrote!" (capítulo V, libro I).

inclinarnos a pensar que este rasgo único y fuera de contexto en la obra es algo que el autor ha dejado filtrarse en ella, por un desliz de su conciencia artística, desde el plano de su propia y personal manera de ser; que, si no corresponde a la índole del buscón don Pablos, corresponderá en cambio a la índole de Quevedo, para quien—nos atreveríamos a inferir, partiendo de esa clave—el sentimiento de vergüenza debía de constituir una experiencia formidable, devastadora.

La vergüenza—¿quién lo ignora?—es una reacción de tipo radical: aquella que se produce al encontrarse uno expuesto de improviso, como una cosa, a los ojos de los demás y, en manera reflexiva, también a los propios ojos. Por eso surge, ante todo, como vergüenza del

---

"Yo, que estaba notando esto con un hombre a quien había dicho, preguntando por él, que era yo un gran caballero, veo a mi buen tío que, echando en mí los ojos—por pasar cerca—, arremetió a abrazarme, llamándome sobrino. Penséme morir de vergüenza; no volví a despedirme de aquél con quien estaba. Fuime con él, y díjome: 'Aquí te podrás ir, mientras cumplo con esta gente; que ya vamos de vuelta, y hoy comerás conmigo'. Yo, que me vi a caballo, y que en aquella sarta parecería punto menos de azotado, dije que le aguardaría allí; y así, me aparté tan avergonzado, que, a no depender de él la cobranza de mi hacienda, no le hablara más en mi vida ni pareciera entre gentes" (capítulo III, libro II).

"¿Qué sentiría yo oyendo decir de mí, en mi cara, tan afrentosas cosas? Estaba, aunque lo disimulaba, como en brasas". "Todo pasaba a vista de mi dama y de don Diego: no se ha visto en tanta vergüenza ningún azotado" (capítulo VII, libro III).

cuerpo. Con la indeleble, vigorosa plasticidad del mito, nos lo representa así el relato bíblico de la caída de Adán, quien, habiendo comido el fruto del árbol de la ciencia—es decir, tan pronto como adquiere conciencia humana—se encuentra desnudo ante la mirada ajena —en su caso, la de Dios en persona—y siente vergüenza, quiere ocultarse, cubrirse. Es que el cuerpo convierte nuestra subjetividad en objeto, hace de nosotros una cosa puesta ahí; existe en el mundo y, atándonos a su determinación física, nos humilla. Por eso se habla de la cárcel o la prisión del cuerpo: es nuestra limitación, nuestra condición. El característico encogimiento de los adolescentes (de cuya edad suele decirse familiarmente que es la "del pavo" por razón de los fáciles rubores a que, apenas se les mira, están sometidos) ilustra bien, en una fase muy aguda de la vida humana, ese disgusto de la propia determinación corporal: el muchacho se ve crecer y no sabe qué hacer de sí mismo, dónde meterse. El pudor tiende a la ocultación del cuerpo, y sobre todo de aquellas partes suyas que, a causa de eso, llamamos pudendas: los órganos sexuales; y, en seguida, se advierte por qué han de ser éstos objeto de especial vergüenza. En ellos acusa el cuerpo su autonomía con una rebelión que nuestra voluntad apenas consigue reducir. Pero en verdad no sólo éstos sino todos los impulsos fisiológicos de la bestia humana nos ponen en evidencia, todos nos dan ocasión de avergonzarnos... Ocurre, sin embargo, que siendo, como somos, no espíritus puros sino triste carne enferma, no nos queda más remedio que conllevar, mal que nos pese, nuestras debilidades físicas, y aceptar la servidumbre de nuestras necesidades, y para eso, la obra de la cultura consistirá en el intento múltiple de espiritualizar la naturaleza por todos los medios imaginables. Desde el adorno de los órganos sexuales en ciertos pueblos primitivos hasta las convenciones, idealizaciones e incluso sacralizaciones de la actividad correspondiente a dichos órganos en todas las culturas, altas y bajas, pasando por los rituales de la mesa que prestan un sentido trascendente a las funciones nutritivas, etc., las formas sociales implican en su conjunto un esfuerzo desesperado por domesticar a la bestia humana.

En suma, la cultura procura disimular las forzosidades naturales a que el animal hombre se encuentra sometido por su cuerpo, sea reduciéndolas al secreto de la privacidad, sea recubriéndolas de revestimientos destinados a conferirles un sentido espiritual. Inútil es decir que todas estas precauciones y diligencias sólo tienen una eficacia relativa, y son precarias. El propio vestido con que cubrimos nuestra desnudez, por más que la disimule, no elimina la presencia del ente físico, ese fundamental objeto de vergüenza que somos por el mero hecho de existir, de estar ahí expuestos a la vista ajena. En la distracción del vivir cotidiano llegamos a olvidarlo deslizándonos por la superficie de las formas sociales en que la decencia consiste, pero tan pronto como la naturaleza asoma por alguna fisura, tan pronto como alguien falta a las conveniencias, se produce la alarma y surge en torno suyo una tensión que, casi siempre, se resuelve—como Quevedo dice—en "risa y grita" contra el infractor, quien deberá avergonzarse de la debilidad en que ha incurrido. Dentro del orden espiritualizador de la cultura, la naturaleza viene a insinuarse con un sesgo cómico, las necesidades naturales resultan risibles; y no es casual que la gran mayoría de los chistes corrientes (y, por supuesto, casi todos los que a Quevedo atribuye su leyenda popular) sean o "picantes" o escatológicos. También el hambre, y en general todo cuanto delata nuestra condición animal, la obra de nuestro cuerpo, suele dar ocasión a burlas.

Que don Francisco de Quevedo sentía muy en carne viva su propia miseria física, no me parece dudoso a juzgar por la aguda y continua percepción de esa realidad que sus escritos de todo género, desde los tratados morales hasta las más desorbitadas facecias, transparentan. A nuestro común destino de muerte responde la nota más repetida y más intensa, y también más personal, de su poesía lírica: "¡Oh condición mortal! ¡Oh dura suerte! ... / Antes que sepa andar el pie, se mueve camino de la muerte ... / Mi espíritu reposa dentro de mi propio cuerpo sepultado ... / He quedado presentes sucesiones de difunto ... / Fantasma soy en penas detenida ... / La hora y el momento ... cavan en mi vivir mi monumento ..." O, como se lee en el tratado *La cuna y la sepultura*: " ... Es, pues, la vida un dolor en que se empieza el de la muerte, que dura mientras dura ella ... Empieza, pues, hombre, con este conocimiento ... que naciste para morir y que vives muriendo; que traes el alma enterrada en el cuerpo ..." Y no se diga que estas reflexiones son lugares comunes pertenecientes a

249

la ideología estoico-cristiana del autor, pues, siendo ello
verdad, lo que aquí importa y quiero subrayar no es
tanto el contenido intelectual—aunque ya sea elocuente
su frecuencia obsesiva—como la autenticidad de la preocupación y del sentimiento, delatada en la vibración del
tono. En ese mismo tratado exhorta al hombre a conocerse, y—dice—"conocer tu miseria: cómo fuiste en-
gendrado del deleite del sueño, el modo de tu nacimiento, el recibimiento que te hizo la vida", para que asuma
frente a ésta la actitud debida. Pero en un soneto de inflexión festiva y burlesca encontraremos expuesta cru-
damente, sin exhortaciones ni reflexiones morales, esa
miseria de la condición humana:

> *La vida empieza en lágrimas y caca,*
> *luego viene la mu, con mama y coco,*
> *síguense las viruelas, baba y moco,*
> *y luego llega el trompo y la matraca.*
>
> *En creciendo, la amiga y la sonsaca:*
> *con ella embiste el apetito loco;*
> *en subiendo a mancebo, todo es poco,*
> *y después la intención peca en bellaca.*
>
> *Llega a ser hombre, y todo lo trabuca:*
> *soltero sigue toda perendeca;*
> *casado se convierte en mala cuca.*
>
> *Viejo encanece, arrúgase y se seca;*
> *llega la muerte, y todo lo bazuca,*
> *y lo que deja paga, y lo que peca.*

Así, en términos generales. Si quisiéramos ilustrar en concreto la acuidad de percepción con que, infatigablemente, observa Quevedo la miseria del cuerpo, su obra ofrece una mina inagotable de los más variados ejemplos. A una vieja la llama "viviente disparate y varilla de cohetes"; de otra anota: "la tizne, presumida de ser ceja y tez, que, con pringue y arrebol semeja clavel almidonado de gargajo"; a una dueña la caracteriza de "calavera confitada en untos"; hace decir a un calvo: "háseme vuelto la cabeza nalga"... El retrato famoso del dómine Cabra en el *Buscón* puede valer por cifra de sus análisis destructivos de la apariencia física. Recuérdese también el romance donde "Describe el río Manzanares cuando concurren el verano a bañarse en él", cuadro alucinante que parecería pintado por su admiradísimo Bosco. Mencionaré para terminar tan sólo los cuatro versos iniciales, de tono serio, en un soneto donde se lee:

> *¿Miras este gigante corpulento,*
> *que con soberbia y gravedad camina?*
> *Pues por de dentro es trapos y fajina,*
> *y un ganapán le sirve de cimiento.*

Como era de esperar, esta visión deformadora y, en último extremo, aniquiladora con que despoja Quevedo al individuo humano de toda compostura (y que se aplica también a los animales, extendiéndose, en fin, a la realidad del mundo entero) no deja de volverse, llegada la ocasión, sobre su persona misma. Tal ocurre de modo muy expreso en el romance titulado "Refiere él mismo sus defectos en bocas de otros", donde declara que su condición es la propia del humo: "que tizno y hago llorar, y de la luz salgo oscuro"; pero los dos defectos físicos de que se hace cargo son aquellos sobre los cuales se concentraba la burla ajena: mala vista y cojera. "Danles nombres de visiones a los trastos de mi bulto", dice; con lo cual, si por bulto entendemos, de acuerdo con su sentido etimológico, la cara, esos trastos no serían otros que los célebres *quevedos*; y adañe:

> *Quien me roe los zancajos*
> *es un goloso muy sucio;*
> *si diese tras los juanetes*
> *metiérame a calzar justo,*

agregando: "... que aunque no me tengo bien ...", para hacer un chiste mediante un doble sentido con el cual, al mismo tiempo, rechaza una de las imputaciones calumniosas que alguna vez se le hizo. En cuanto al conjunto de la figura, apunta: "Notan que soy desairado" y luego:

> *Sólo afirman que soy bueno*
> *para costal, y presumo*
> *que el atarme por la boca*
> *les califica este punto.*

Jugando con el vocablo, supone que le atribuyen la desairada catadura de un costal con la esperanza de poderlo atar por la boca, como a los costales se ata, es decir, para impedirle que hable y, así tizne y haga llorar. Con tono muy distinto, escribirá en *Su espada por Santiago*, refiriéndose al libelo titulado *Al poema delírico de don Francisco de Quevedo*: "Dice que soy cojo y ciego; si lo negase, mentiría de pies a cabeza a pesar de mis ojos y de mi paso"; y en una carta a la duquesa de Olivares: "Los que me quieren mal, me llaman cojo, siendo así que lo parezco por descuido, y soy entre cojo y reverencias, un cojo de apuesta, si es cojo o no es cojo".

Aparte de la confesión propia en estas prosas y en el romance antes citado, tenemos un testimonio fidedigno de sus defectos físicos en un expediente de provisión de cátedras en Salamanca, donde al consignar su voto se describe a Quevedo como "barbirrojo, cojo". Respecto al primer detalle (que por una superstición se consideraba entonces, y todavía se considera hoy entre el vulgo, como un defecto risible) tenemos la confirmación ofrecida por la sátira que se atribuye a Ruiz de Alarcón:

> —*¿Quién es aquél que ha sacado,*
> *tan sin ingenio y sin vista,*
> *con la pluma de ateísta,*
> Gobierno *de Barbarroja?*
> —*Pata-coja.*

Acerca de la índole de esa cojera, su biógrafo Tarsia precisa que tenía Quevedo los pies "torcidos hacia adentro"; y a tal descripción corresponden algunas de las

burlas que se le hicieron, como la de un soneto anónimo que le llama "el meco pies de cuerno", cuyas palabras no sólo caracterizan la callosidad y curvatura de
unos pies deformes, sino que parecen confirmar también, con la voz *meco,* la presencia de ramalazos ber-
mejos en su pelo; o como el muy literario chiste de
Góngora cuando, en un conocido soneto, le dice que sus
pies son de elegía, facecia recogida por el autor de la
Venganza de la lengua española (pies pirriquios), quien
agregará: "Lástima tengo de verle toda la vida andar
de pie quebrado"; o como, en fin, la ya citada sátira
Al poema delírico, donde se llama a Quevedo "claudi-
cante Escaronte", y "Vulcano, de los cielos abatido, cojo
de haber caído"... Todas estas indicaciones reunidas per-
miten darnos cuenta de la clase de cojera que padecía
nuestro don Francisco. Y todavía, para complemento,
nos suministra Tarsia la anécdota siguiente: "Habiendo entrado ... en casa de unas damas para oírlas cantar
y tocar el arpa ... y como iba de hábito largo para en-
cubrir la fealdad de los pies, descubriósele casualmente
un pie. Viéndolo la una dellas, dijo: '¡Oh qué mal
pie!' Reparó inmediatamente otra, y añadió: 'Con mal
pie entraron vs. ms. aquí' ... Estuvo don Francisco muy
severo, y con igual prontitud respondió: 'Yo les prome-
to a vuestras mercedes, señoras mías, que otro hay peor
en el corro'. Empezaron entonces a mirarse unas a otras
y a registrar los pies de los que venían en su compañía,
diciendo: '¿Cuál será?' Y después que les hubo dete-
nido un rato en duda y curiosidad, sacó el otro pie y
dijo: 'Éste, señoras', pues tenía el un pie más mal hecho

y más torcido que el otro". Este cuento, cualquiera fuere su base real, tiene ya todo el aire de los "cuentos de Quevedo" que alimentan el folklore pintoresco de nuestro poeta.

En cuanto se refiere al defecto de la vista, en las alusiones mordaces suele aparecer ligado y hasta fundido con el de los pies (de "cierto *antogicoxo*" le montejaría el Dr. Suárez de Figueroa), y con frecuencia concita la burla (a veces, burla cariñosa: el duque de Osuna le llama en una carta "cuatro-ojos", cuyo nombre debía de aplicarle en el trato familiar) sobre los que el mismo Quevedo designó "los trastos de mi bulto", es decir, sus antojos = anteojos, los famosos *quevedos*. Así, en el soneto antes citado, Góngora se los pide prestados para su ojo ciego, mientras que en la tercera estrofa de la también citada sátira *Al poema delírico* se lee:

> *Oh tú, vasto de España Polifemo,*
> *a Dios si no blasfemo,*
> *de sus santos sí mengua,*
> *escucha, que ha de ser mi tosca lengua*
> *(aunque te halle ciego)*
> *de tu ojo toscano Ulises griego.*

Habla luego de su "flaca vista" y más adelante añade:

> *... y si tú me creyeras,*
> *nunca en materias de ojos te metieras,*
> *siendo los tuyos tales,*
> *que ojalá sólo fueran desiguales.*
> *. . . . .*

Mejor nos concluyeras
si en ti mismo el ejemplo nos pusieras;
pues a un tuerto y a un cojo
mejor le está una pierna y sólo un ojo.

A juzgar por todo ello, diríase que no sólo era Quevedo corto de vista, sino que la tenía desigual, o quizá llegó a perderla por completo en uno de sus ojos.

Estas desgracias físicas constituyen su punto flaco, lo que verdaderamente le duele y causa resentimiento, como bien puede advertirse en el tono con que se refiere a ellas en diferentes ocasiones, y tanto más cuando pretende hacerlo burlesco, por contraste con la despreocupación que muestra frente a otros capítulos de culpa establecidos por sus detractores. En las diatribas de la época se echaba mano de todo sin empacho alguno, y las invectivas contra Quevedo contienen el catálogo completo de los insultos corrientes: además de sus tachas físicas, se lo acusa de mísero, de ladrón y falsario, de traidor, de ingrato, de ignorante, de alcahuete y bujarro, de borracho, de cobarde y—¿cómo no?—de judío. Hasta el estigma de cornudo se le aplica, no siendo casado: "¿Quién es a quién la Ledesma (su amante), encuerna con Villeguillas...?" Pero él apenas si hace caso de las imputaciones que considera futiles, y que de hecho venían empleadas no tanto con ánimo de calumniarlo como a la manera de insultos, meros dicterios infamantes. Burlarse de sus desgracias corporales era, en cambio, golpear en la llaga.

No hemos de incurrir aquí, sin embargo, en el recurso demasiado fácil de atribuir a esos defectos físicos la actitud que nuestro poeta asume frente al mundo, por más dispuestos que estemos a admitir que esos defectos debieron de intensificar lo que sería en él propensión innata, exasperando su aguda sensibilidad para la miseria de la condición humana. Tampoco creemos en modo alguno que las feroces lanzadas de sus enemigos en la guerra literaria tuvieran el efecto de exacerbar su visión del mundo, que desde sus primerísimos escritos aparecía ya nítidamente definida. Los ataques de que fue objeto vinieron, además, como es sabido, provocados por su propia agresividad, y él mismo lo reconoce así cuando, en *Su espada por Santiago,* dice: "¿Qué concluyen contra mí? ¿Que he escrito cosas profanas, y sátiras? Sea así. Hoy escribo defensas de un apóstol, y ellos maldades y sátiras y blasfemias contra él. Luego he trocado yo con ellos lo detestable y lo delincuente; y lo que dicen de mí porque lo hice, lo dicen de sí porque lo hacen". Y antes, en la dedicatoria: "Señor, no respondo a las sátiras y coplas que me han hecho y impreso (no porque me falte natural acreditado y belicoso para tan facinerosos distraimientos), sólo porque, como he visto este pecado de mi niñez fuera de mi inclinación en otra boca, he conocido su horror y su asco". Se refiere ahí específicamente a otras sátiras, pero la que tiene por estribillo *Pata-coja,* tan pródiga en injurias, es respuesta obvia a la letrilla de Quevedo zahiriendo a Ruiz de Alarcón bajo el nombre de *Corcovilla.* Dado el paralelismo que esta relación de ataque y defensivo contraataque les presta, el compararlas puede ilustrarnos bastante acerca de la personalidad íntima de Quevedo, proveyéndonos de un "testigo" tan idóneo que parecería especialmente buscado para una experiencia de laboratorio. Porque concurre la circunstancia de que Ruiz de Alarcón, igual que nuestro don Francisco, pero en grado mucho mayor que él, presentaba al mundo, con su doble joroba, la desgracia de una figura desairada. Sobre ella se ensaña, brutal, implacable, la sátira de Quevedo. Toda su atención está concentrada con fijeza obsesiva en el cuerpo deforme, y produce asombro la capacidad infinita de asociaciones que su ingenio le sugiere para reducir lo que, defectuoso y todo, no deja de ser el cuerpo de una criatura humana, a la destitución de los objetos más diversos y más viles, deshaciéndolo, desintegrándolo en ellos. Como en las más características piezas de Quevedo, el poeta consigue la aniquilación del ente real con que se ha enfrentado. Si repasamos ahora la respuesta, excelente sin duda, a esta letrilla, sea que la compusiera por entero el propio Alarcón, sea que colaboraran a pergeñarla, como suele ocurrir en ocasiones tales, varios ingenios, lo que en ella encontramos es un repertorio de los insultos más diversos. Aunque, en la buscada correspondencia formal con *Corcovilla,* usa el estribillo de *Pata-coja,* sus motivos aparecen dispersos. Se trata en verdad de una rociada de improperios en la que no se ahorran las atribuciones más absurdas, como las de judío, borracho, homosexual y cornudo, acumulados con más aplicación que pasión verdadera. La cuestión era repeler un ataque, no dejarlo sin respuesta condigna. Y esto se encuentra conseguido, no sin cierta distancia fría, muy

en el estilo de Alarcón, de quien nos consta su manera
de reaccionar frente a otros ataques. Muy conocidos son,
en efecto, los versos donde, en *Los pechos privilegiados*,
ataca para defenderse, y dice:

> *culpa a aquel que, de su alma*
> *olvidando los defetos,*
> *graceja con apodar*
> *los que otro tiene en el cuerpo;*

> *Dios no lo da todo a uno;*
> . . . .
> *Al que le plugo de dar*
> *mal cuerpo, dio sufrimiento*
> *para llevar cuerdamente*
> *los apodos de los necios.*

He aquí un hombre que se diría inmune a los dardos
de la burla. Con gran ecuanimidad los aparta, y los de-
vuelve, impasible, contra sus agresores. No se ha in-
mutado. En lugar de alterarse, les dirige reflexiones
muy sensatas. No nos parece ésa en manera alguna la
conducta propia del personaje amargo, resentido, que la
sensibilidad romántica del siglo pasado, tan susceptible
a las deformidades físicas, quiso hacer de él. La calma
razonable y razonadora con que desdeña la necedad de
quienes tanta importancia conceden a las anomalías del
cuerpo, nos sorprende y admira. Podrá ser ello el fruto
de una sazón moral a duras penas alcanzada por un espíritu de muy excepcional temple; pero abundan las in-

dicaciones en abono de que Ruiz de Alarcón, lejos de responder a la estampa romántica de una víctima perseguida y acorralada por sus contemporáneos, era en realidad, pese a su doble joroba, un hombre lleno de aplomo y muy seguro de sí mismo, capaz en todo caso de lograr, como logró, aquellas pretensiones que a tantos otros de sus compañeros les resultaron fallidas. Tanto sus escritos como ciertos datos de su vida y carrera sugieren más bien una presencia de ánimo que por momentos llega al engreimiento. En *Las paredes oyen,* donde su *alter ego* don Juan de Mendoza termina triunfante sin perjuicio de su "mala cara y mal talle", abundan las reflexiones sobre improbables fortunas de amor. Quizá fuera excesivo atribuirle a Alarcón aquella tendencia autocomplaciente, también radical y también plasmada en un mito, según la cual, por contraste con la vergüenza adánica, tiende uno a ofrecer el espectáculo de sí mismo al goce de los ojos, y no dejaría de parecer chocante la nota de narcisismo aplicada a un ser tan desfavorecido como Corcovilla. Pero, así como los defectos físicos no originan, sino acaso fomentan, la vergüenza de la determinación corporal, tampoco impiden, aunque tal vez frenen, la autocomplacencia en el sujeto. ¿Habría en Alarcón una propensión vanidosa? "¿Quién anda engañando bobas, / siendo rico de la mar?", pregunta la sátira quevedesca; y estos dos versos concuerdan con ciertas noticias acerca del personaje, cuya serenidad contrasta en todo caso con la fiereza enconada de Quevedo, que se revuelve como un condenado contra la enfermedad de toda carne después de haber asumido sus propias flaquezas.

Volviendo, pues, al caso de éste, diría yo que la insolencia provocativa de nuestro don Francisco debe entenderse como un esfuerzo desesperado por vencer su vergüenza innata; que esa crueldad implacable con que castiga al prójimo brota de su dolorido sentimiento de la miseria propia; y que, por mucho que ello suene a paradoja, sólo un alma pudorosa en exceso puede llegar a los extremos del alarde impúdico. El movimiento espontáneo de la sensibilidad delicada es contraerse, rehuir el contacto y buscar refugio, tal como, según veremos, no deja de hacerlo Quevedo; pero cuando una sensibilidad tierna concurre en un espíritu asistido por las potencias demoníacas de una inteligencia chispeante y una imaginación audaz, no será raro que la timidez se torne en cinismo y que el pudor acosado despliegue una bufonería frenética, una esgrima rápida de procacidades, cuyo halo intimida y fascina, promoviendo una leyenda de personaje terrible, estrafalario y peligroso. No otra es, para mí, la clave de la actitud de Quevedo frente al mundo una actitud, claro está, sumamente compleja, muy rica en sentido, y cuya trascendencia metafísica se nos ofrece plasmada en estructuras poéticas de valor perdurable.

Usando esa clave debemos tratar de explicarnos la famosa misoginia del poeta. Ya antes quedó indicado al paso que en la sensación de vergüenza desempeña parte muy principal el cuerpo en cuanto sexo, con su capacidad de afirmación autónoma. Apuntemos ahora que la relación sexual establece una complicidad de los cuerpos, constituye una vergüenza compartida (otra vez el mito judeo-cristiano de la caída nos acude a la mente); y recordemos que toda esa elaborada construcción que llamamos amor es un esfuerzo heroico de la cultura por "espiritualizar" los impulsos sexuales en una dirección trascendente. Dentro de ese edificio cultural que es el amor, la relación erótica se hace complicada en extremo, pues envuelve a dos sujetos de conciencia en el juego de impulsos biológicos nacidos, no de esa conciencia, no de sus respectivas libertades, sino de su necesidad natural, pero con apoyo de los cuales deben erigir una fábrica espiritualmente significativa. Su logro, la integración plena de los amantes, será un suceso raro y quizás efímero que resplandece con el brillo de las experiencias únicas. En Quevedo no hallamos ni la indicación más remota de cosa tal: frente al otro sexo, su actitud, de que su obra testimonia, está polarmente escindida, y de una parte consiste en la sátira incansable y encarnizada donde se vilipendia a las mujeres con saña de la que no conozco ejemplo comparable; mientras, por el otro lado, su maravillosa poesía amatoria exalta a alguna dama con la servidumbre erótica más rendida. Este dualismo interno, que se manifiesta a través de formas establecidas en la tradición literaria, puede reducirse fácilmente a unidad en la pudorosa timidez del poeta. Pues, acogiéndose a las convenciones del amor platónico tal cual eran reconocidas desde que Marsilio Ficino tradujo y comentó *El banquete* y Petrarca prestó a sus ideas cuño lírico, Quevedo asume una posición que enlaza con la línea del amor cortés, y que, en cuanto amador, lo pone al margen de todo conflicto vital, ya que sus sentimientos no pretenden conducir a consecuencias prácticas ningunas. El objeto de su amor, colocado socialmente muy por encima del poeta, le es—se supone—inaccesible, y en serlo radica su valor y dignidad. Por principio—y para tranquilidad de su ánimo—está situado fuera de su alcance. Ha de prestarle tributo, culto y adoración sin esperanzas de reciprocidad; y dada su espiritual pureza, ese amor puede perdurar, incólume, a lo largo de los años con sus estragos ("Hoy cumple amor en mis ardientes venas / veinte y dos años, Lisi, y no parece / que pasa día por él ... "), sobreviviendo a la amada ("Celosa debo de tener la suerte, / pues viendo, ¡oh, Lisi!, que por verte muero, / con la vida me estorba el poder verte "), e incluso al propio amador ("polvo serán, mas polvo enamorado").

Pero ¿podrá decirse por eso que se trata de sentimientos artificialmente cultivados al solo efecto de la poetización? Si tal se dijera, no habría de entenderse en el sentido de que la poetización misma es un mero ejercicio retórico o que los sentimientos mediante ella expresados son falsos o fingidos, pues la poesía amatoria de Quevedo tiene sin duda alguna el acento inconfundible de la sinceridad, y este acento aún llega a hacerse por momentos desgarrador. La intensidad emocional de la experiencia erótica me parece indisputable en su caso, y pienso que sin ser así no hubiera alcanzado la altura lírica que reconocidamente tiene en esa vena. Cierto que hay una elaboración de los movimientos sentimentales

263

de acuerdo con la configuración cultural donde han de encajarse; pero lo mismo cabría afirmar de todo amor y, por supuesto, de toda poesía amorosa, sin que ello desmienta—¡al contrario!—la autenticidad del sentimiento. Hasta sería dudoso que el crudo impulso natural, sobre cuya base tal vez se sustenta, merezca en sí mismo la consideración de sentimiento. Por eso, cuando éste se eleva a formas demasiado altas y distantes (como ocurre en el amor cortés y en el amor platónico renacentista), el salto desde esas formas exaltadas a la turbia confusión de los sentidos en el momento de la consumación carnal puede resultar—y de hecho resulta con frecuencia en la práctica—una caída cómica, según puede observarse (para seguir discurriendo con ayuda de textos literarios) en el contraste entre la posición de Calisto en presencia de Melibea durante el primer acto de *La Celestina* y la que adoptará al volver a encontrarla en los actos XII y, sobre todo, XIV. Que la poesía amatoria de Quevedo no excluye ni mucho menos el ingrediente sexual, puede comprobarse examinando aquel soneto a Floralba que hube de analizar antes, y que con todo su prodigioso lirismo arranca sin embargo de una situación cómica. Pero, salvo en esas ocasionales traiciones del sueño, el amor de nuestro poeta no espera retribución: su amada habita en un plano superior que él jamás pensaría en escalar. Y es en esta relación erótica unilateral de la que cualquier perspectiva de correspondencia está excluida, donde él se siente seguro y a salvo. Correspondencia tal, ni se la espera ni se la desea: es un amor solipsista, sin compromiso alguno con la realidad humana del ser amado. Encerrado tras la coraza de una convención que lo protege incluso contra la sospecha de que todo ello pudiera acaso ser algo más que un juego literario, despliega sin riesgo sus sentimientos eróticos en la esfera aséptica de la poesía.

Por otro lado, sus impulsos sexuales deberán hallar satisfacción en mujeres a quienes considera inferiores e indignas. Por su biografía tenemos noticia del amancebamiento en que vivió con "la Ledesma", y no es mucho lo que se sabe acerca de esta relación, aparte de que engendró hijos en ella, de que estuvo bajo vigilancia de la policía de costumbres, y de la alusión maligna—valga por lo que valiere—contenida en la sátira a *Pata-coja*. Fuera de esto, en el epistolario de Quevedo pueden rastrearse otras distracciones análogas, de consecuencia escasa o nula. Aun bien establecidos, los hechos de la vida práctica no hablan acerca de las radicales actitudes e inclinaciones de un escritor en modo tan inequívoco como las indicaciones que las obras de la imaginación creadora, transformando y estilizando a su manera los materiales de la experiencia, pueden acaso suministrarnos. A este propósito, quisiera llamar la atención—y muchísimos otros ejemplos se prestarían a lo mismo—sobre el romance burlesco titulado "Pinta lo que le sucedió con una fregona" donde la ficción desorbitada no deja de contener alguna contraseña bastante personal, como la de estos versos: "Tropecé y caí: no piensen / que de privanzas reales, / sino de los pies más malos / que han visto nuestras edades".

La mujer con quien esa sucia, repugnante y grotesca

escaramuza sexual imaginaria tiene efecto es un ser tan inferior desde cualquier punto de vista que ni siquiera se aparece como tal mujer, sino como "una fiera", "un elefante", una "ballena", sólo digna de las más bajas caracterizaciones. Con ella no sería concebible el trato humano, es decir, una relación paritaria. Siendo bestia, con huir de su alcance el hombre que por un momento cayó en sus garras se sentirá tranquilo...

Así, pues, si el objeto del amor platónico era tan sublime que sólo en sueños podía tocarse, el objeto de la relación sexual se sitúa, por lo contrario, en un nivel tan despreciable que dicha relación queda reducida al mero trato del "Hospital de Amor". En una u otra dirección, Quevedo se sustrae al riesgo que la mujer real y verdadera representa para él.

Y ¿en qué consistirá ese riesgo? Me parece que su notable aversión al matrimonio puede darnos en cifra la respuesta. Si en la vida práctica se resistió tanto a casarse, y si tanto abomina del casamiento en sus escritos, es, explícita y reiteradamente, por desconfanza hacia la mujer. "No la quiero fea ni hermosa—dice por gracejo en una carta rechazando la sugestión de contraer matrimonio— ... Fea no es compañía, sino susto; hermosa no es regalo, sino cuidado ... " Chistosamente, se niega a la idea. No es que, en vista de la que considera experiencia corriente, retroceda; no se trata de un simple cálculo de conveniencias en el ordenamiento de la vida propia, sino de la anticipación angustiada de una posibilidad—probabilidad, piensa él—a la que por nada del mundo quisiera verse expuesto: la de que su mujer lo engañe. Para Quevedo, casado y cornudo vienen a parar en lo mismo: son términos sinónimos. Siendo engañosa su naturaleza, indefectiblemente la mujer ha de ponerle cuernos al marido; es decir, preferirá a otro...

No creo necesario hacer de nuevo y una vez más la reserva de que la obra de invención literaria en modo alguno debe tomarse por expresión directa de las posiciones reales del escritor; y en cuanto a este problema específico se refiere, ya en otro lugar[3] traté de subrayar (trayendo, por cierto, a colación la sátira quevedesca) el significado aberrante que en la España de su tiempo tuvo el concepto del honor vinculado a la fidelidad femenina, y cómo dicha sátira, resultado de la ansiedad colectiva, tenía por función reforzar el común prejuicio en befa de los maridos burlados. Pero si debemos ver en ella antes una estilización poética de pautas culturales muy marcadas en la sociedad donde vivía que la manifestación inmediata de sus propias convicciones, no es menos cierto que las tendencias profundas de cada personalidad, las creencias a que cada escritor está adherido en su último fondo, se revelan en el modo cómo recibe, acepta—o rechaza (Cervantes es uno que la rechaza)—pautas comunes como ésa, prestándoles una inflexión subjetiva. Si lo ligamos con su probada reluctancia al matrimonio, el sarcasmo de Quevedo, su preocupación obsesiva con los cuernos, pone al descubierto una inseguridad frente a la mujer que, sin exageración,

---

[3] "El punto de honor castellano", en *Los ensayos: teoría y crítica literarias* (Madrid: Aguilar, 1972).

267

puede calificarse de verdadero terror. Es obvio que le espanta la perspectiva de una confrontación íntima y total con otro ser humano, verse expuesto a la mirada ajena que amenaza aniquilación.

Lo curioso es que, no obstante su gran repugnancia de cien mil maneras declarada, Quevedo terminó casándose, y por cierto en las condiciones forzadas y absurdas de que su biografía informa, cuando contaba ya cincuenta y tantos años, con una viuda de su edad, madre de hijos crecidos. ¿Por qué lo hizo? ¿Sería esta incongruencia de su conducta prueba o indicio de que aquellas bromas contra el matrimonio eran más que nada un motivo de diversión literaria?

Parece bien comprobado que si don Francisco aceptó al fin la coyunta temida—de la que, por lo demás, se zafaría inmediatamente—lo hizo cediendo a la presión de su protector, el duque de Medinaceli; y esto vendría a añadir un rasgo bastante significativo en su semblanza: el de un respeto desmesurado hacia las jerarquías del mundo social. Pues no debió de ser poca, en efecto, la autoridad necesaria para doblegar su resistencia en punto tan del personal arbitrio como es éste de tomar estado, y ello en contra de la postura que, con énfasis virulento, había sostenido a lo largo de la vida entera. Descubrir rasgo semejante en el carácter de Quevedo es, una vez más, ocasión de sorpresa, pues a primera vista resulta contradictorio con nuestra imagen del implacable demoledor ante cuya sátira nada se sostiene en

268

pie. Y una vez más, sin embargo, después de haberlo pensado despacio, deberemos reconocer que la contradicción es sólo aparente, y se disuelve en los recónditos abismos de su personalidad, tal como, rápidamente y medio a tientas, venimos procurando sondearlos aquí. Si hemos referido su devastadora procacidad satírica a un fondo de angustiada timidez, tendremos que referir a ese mismo fondo también el acatamiento de la autoridad constituida, y por cierto, no un acatamiento sereno, razonable e indiferente, como el de quien acepta sencillamente los dictados de la realidad, sino más bien una adhesión celosa, casi compulsiva, apasionada y—¡otra vez!—angustiada.

Consideremos por un momento el perfil social de Quevedo; qué es lo que nuestro poeta fue en el mundo. La verdad es que no fue sino un cortesano, nacido a la sombra de Palacio y criado en él—lo que sería circunstancial—, pero además adaptado por completo a sus convenciones, y muy diestro en sus manejos. Varios episodios de su vida muestran en Quevedo una continua inclinación del ánimo que merecería calificarse de conservadora en grado sumo. Retrocediendo en el curso de su vida desde el momento en que nos asombra verlo plegarse a los deseos de su protector, el duque de Medinaceli, en la cuestión del matrimonio, el dilatado capítulo de sus relaciones con quien había sido su protector previo, otro grande de España, el duque de Osuna, está lleno de indicaciones acerca de su ferviente lealtad, más allá de la desgracia y de la muerte, hacia este príncipe impetuoso, impulsivo, imprudente, e impredictible en la emi-

269

nencia de su poder, que ni siquiera había sabido portarse bien siempre con su fiel secretario. Diríase que es ese poder—a cuyo crecimiento contribuyó con todo su esfuerzo—, y no otra cosa, lo que, siendo él mismo un hombre sagaz y agudo como nadie, admira sin embargo don Francisco en el gran Osuna. Como si la intemperie le resultara intolerable, se afana en buscar ansiosamente el amparo de estos magnates, la sombra de Palacio, el arrimo protector de la autoridad constituida. Y no dejará de impresionarnos, si damos ahora otro salto atrás en la historia de su vida hasta llegar a sus primeros años, hallar al huérfano que asiste, en la compañía confortadora de su hermana mayor, al Estudio de los Teatinos, y ver que la muerte de éste, Pedro, había de dejar muy pronto en nueva orfandad, en medio de la turba escolar de sus compañeros, al muchacho tullido y cegato. Sin propósito de aventurarnos en el incierto terreno de las conjeturas y especulaciones psicológicas, podemos no obstante insertar el dato de este precoz desamparo en el cuadro interpretativo de las actitudes que nuestro poeta asumiría frente al mundo.

Su adhesión ferviente a la seguridad de un orden establecido y a la autoridad capaz de sostenerlo, según se advierte en muchos detalles de su biografía, casa perfectamente, además, con un sector de su obra escrita que, dentro del conjunto, surge en aguda contraposición a la sátira destructiva: me refiero al de su literatura "edificante" y, sobre todo, a empresas apologéticas como la *España defendida* y el *Memorial por el patronato de Santiago,* donde aparece obstinado en argumentaciones bizantinas a favor de las posturas más tradicionalistas para cuya defensa lo acumula todo sin mayor discriminación crítica. Es evidente que en el *Memorial* citado y en *Su espada por Santiago* el escritor está batallando detrás de la cruz que adorna—mejor diría, que cubre y salvaguarda—su pecho; y desde luego la venera del Apóstol nos ofrece el mejor símbolo de la protección tras de cuya dureza anhela esconderse su alma delicadísima. Como la forma convencional de su poesía amatoria, estos escritos son expresión idónea de sus íntimas urgencias, en una dirección contraria, pero concurrente por la base, a la de esa frenética destrucción de la realidad que da lugar sin duda a lo más singular y valioso en cuanto obra de arte de toda su producción literaria.

Este resultado estético está alcanzando, claro está, dentro de las líneas generales de la estética barroca y desde los supuestos espirituales comunes a la época, pero no por ello será menos indicativo de la personalidad del creador individual; en primer lugar, porque esas tendencias y propensiones colectivamente sostenidas y que en cierta medida se imponen a quienes participan en un determinado ambiente cultural, adquieren particular modulación en cada uno de ellos a través de sus propios mecanismos selectivos; y luego, porque en presencia de un gran creador de cultura, según es el caso de Quevedo, será él mismo, con su obra, quien contribuya a configurar la época a que pertenece, marcándola con rasgos que, *a posteriori,* se atribuirán a la abstracción que llamamos el "espíritu de época".

LA BATALLA NABAL

En lengua castellana, lo mismo suena la *b* de nabo que la *v* de nave. Bastará, pues, con formar el insólito derivado *nabal* calcando el adjetivo que califica a los combates marítimos para degradar cómicamente la épica de una batalla naval a grosera pelea de mercado, con hortalizas por proyectiles.

Es chiste fácil, por el estilo de los que suelen oírse cada día. Éste se encuentra en un famoso pasaje de Quevedo. Pero su juego de palabras adquiere en el autor del *Buscón* un alcance trascendente. En verdad, toda la creación quevediana está fundada sobre el lenguaje, no ya en cuanto que, como un poeta replicó agudamente a un pintor, la poesía (toda la poesía) se hace con palabras, sino en un sentido peculiar y específico, propio de este escritor singularísimo. El análisis del pasaje en cuestión puede evidenciarlo.

Para intentar ese análisis usaremos básicamente el texto establecido por Fernando Lázaro Carreter, aunque echemos mano a conveniencia de las variantes que nos parezcan oportunas, pues, es bien sabido, el *Buscón* fue obra precoz de Quevedo que, como tantas otras, corrió mucho, copiada y recopiada, antes de publicarse, pero que tardó más que ninguna, quizá veinte años largos, en llegar a la imprenta, y para eso no por cierto en edición de que su autor se hiciera responsable. Siendo así, y no estando excluido tampoco que algunas de las va-

273

riantes fuesen debidas a correcciones del propio autor, creemos legítimo concedernos una cierta discrecionalidad en la apreciación, al interpretar el pasaje seleccionado, de aquellos rasgos de estilo que nos resulten "quevedescos".

Llegó—por no enfadar—el tiempo de las Carnestolendas, y, trazando el maestro de que se holgasen sus muchachos, ordenó que hubiese rey de gallos. Echamos suertes entre doce señalados por él, y cúpome a mí. Avisé a mis padres que me buscasen galas.

Llegó el día, y salí en un caballo ético y mustio, el cual, más de manco que de bien criado, iba haciendo reverencias. Las ancas eran de mona, muy sin cola; el pescuezo, de camello y más largo; tuerto de un ojo y ciego del otro; en cuanto a edad, no le faltaba para cerrar sino los ojos; al fin, él más parecía caballete de tejado que caballo, pues, a tener una guadaña, pareciera la muerte de los rocines. Demostraba abstinencia en su aspecto y echábansele de ver las penitencias y ayunos: sin duda ninguna, no había llegado a su noticia la cebada ni la paja. Lo que más le hacía digno de risa eran las muchas calvas que tenía en el pellejo, pues, a tener una cerradura, pareciera un cofre vivo.

Yendo, pues, en él, dando vuelcos a un lado y otro como fariseo en paso, y los demás niños todos aderezados tras mí —que, con suma majestad, iba a la jineta sobre el dicho pasadizo con pies—, pasamos por la plaza (aun de acordarme tengo miedo), y llegando cerca de las mesas de las verduras (Dios nos libre), agarró mi caballo un repollo a una, y ni fue visto ni oído cuando lo despachó a las tripas, a las cuales, como iba rodando por el gaznate, no llegó en mucho tiempo.

La bercera—que siempre son desvergonzadas—empezó a dar voces; llegáronse otras y, con ellas, pícaros, y alzando zanorias garrofales, nabos frisones, berenjenas y otras legumbres, em-

piezan a dar tras el pobre rey. Yo, viendo que era batalla nabal, y que no se había de hacer a caballo, comencé a apearme;
mas tal golpe me le dieron al caballo en la cara, que, yendo a
empinarse, cayó conmigo en una—hablando con perdón—pri-
vada. Púseme cual v. m. puede imaginar. Ya mis muchachos
se habían armado de piedras, y daban tras las revendederas, y
descalabraron dos.

. . . .

Pero, volviendo al alguacil, quísome llevar a la cárcel, y no
me llevó porque no hallaba por dónde asirme: tal me había
puesto del lodo. Unos se fueron por una parte y otros por otra,
y yo me vine a mi casa desde la plaza, martirizando cuantas
narices topaba en el camino. Entré en ella, conté a mis padres
el suceso, y corriéronse tanto de verme de la manera que ve-
nía, que me quisieron maltratar. Yo echaba la culpa a las dos
leguas de rocín exprimido que me dieron. Procuraba satisfa-
cerlos, y, viendo que no bastaba, salíme de su casa y fuime
a ver a mi amigo don Diego, al cual hallé en la suya desca-
labrado, y a sus padres resueltos por ello de no le inviar más
a la escuela. Allí tuve nuevas de cómo mi rocín, viéndose en
aprieto, se esforzó a tirar dos coces, y, de puro flaco, se le
desgajaron las ancas, y se quedó en el lodo bien cerca de
acabar.

Los aspectos en que puede ser enfocado este pasaje son
muy varios, claro está, y muchísimos los comentarios a
que se presta desde puntos de vista diversos; pero aquí
hemos de limitarnos a considerar el tratamiento, característico en grado sumo, a que el autor somete el caballo
sobre cuyos lomos va su protagonista-narrador a desempeñar de modo tan risible y amargo el papel de rey de
gallos convertido en héroe de lamentable batalla nabal.

Observemos ante todo que los nabos arrojados contra caballo y jinete, por razón de los cuales es designada como "nabal" la batalla, son a su vez objeto de una retorcida calificación en la que se muestra el típico ingenio verbal de Quevedo: se les llama "frisones" para indicar su descomunal tamaño. A esta curiosa cópula de sustantivo y adjetivo "nabos frisones" precede otra: "zanorias garrofales", donde, con intención análoga de ponderar su gran volumen, viene aplicada a una hortaliza la nota de garrofal o garrafal que el uso común del idioma reserva, y probablemente reservaba ya por entonces, a lo moral (un "error garrafal" ha llegado a convertirse en estereotipo). Pues, en efecto, al mismo propósito de destacar su magnitud, superior a lo corriente, se encamina el adjetivo "frisón" adjudicado a unos nabos tan notoriamente gruesos como lo son los caballos frisones respecto de los demás caballos. Pero al soldar ahora estas dos piezas verbales: nabo y frisón, no sólo se predica del vegetal la cualidad que distingue a los caballos frisones de los demás animales de su especie, sino que, con creación imaginaria, lo convierte en caballo: esos nabos son [caballos] frisones.

Así, sea en el nivel de las intenciones literarias conscientes o bien en el de los secretos laboratorios donde la invención poética se fragua, los nabos-caballos tan lozanos van a ofrecer un contraste significativo con el desmedrado equino sobre el que Pablos, nuestro desdichado rey de gallos, está montado, montura adecuada, sin duda alguna, a semejante rey. El animal ha sido caracterizado de entrada como "ético y mustio", dos adjetivos cuya energía nos hace representárnoslo enseguida de manera tal que implica una deformación derogatoria de la estampa mental suscitada por el sustantivo "caballo". Y ahora, a partir de ahí, se iniciará un proceso de transformaciones vertiginosas mediante el cual el "noble bruto" asumirá, una tras otra, las más dislocadas y extravagantes apariencias. Pues a continuación se nos dice que el ético y mustio animal iba haciendo reverencias, "más de manco que de bien criado", para darnos cuenta de otra falla de la bestia: su cojera. Obligándolo a un paso desigual, este defecto ocasiona una serie de inclinaciones que, por burla, se finge confundir con una serie de reverencias. La mofa atribuye un "sentido" espiritual al involuntario efecto mecánico de una tara física invistiéndolo con el alto significado de las refinadas gracias sociales ¡desplegadas por un jamelgo!, para destituirlo enseguida a la verdad de su condición aflictiva.

Por si fuera poco, se nos informa inmediatamente de que "las ancas eran de mona, muy sin cola", y "el pescuezo, de camello y más largo"; con lo cual se entera el atónito lector de que ese caballo capaz de involuntarias cortesías, visto de atrás no es tal caballo, sino mona; y visto por delante es más bien un exagerado camello. Su entidad caballuna va deshaciéndose así en otras formas animales cuya rareza le presta un aire monstruoso, por el estilo de las figuras que tanto admiraba Quevedo en las pinturas del Bosco. Pero no basta: el ridículo monstruo es, además, "tuerto de un ojo y ciego del otro", es decir, con un ojo torcido, bizco, y el otro sin vista; "en cuanto a la edad, no le faltaba para cerrar sino los ojos". Nos encontramos aquí con uno de esos cortocircuitos verbales en que fulgura el genio único del escritor; pues, como es sabido, a los caballos se les reconoce la edad por la dentadura; y a éste no le faltaba para completarla (para cerrar) sino cerrar los ojos: morirse.

Así, las palabras, con su inestable tornasol semántico, proponen al singularísimo poeta las asociaciones más inesperadas, los saltos más atrevidos, como resorte de su creación imaginística. "Al fin—añade luego—, él más parecía caballete de tejado que caballo, pues, a tener una guadaña, pareciera la muerte de los rocines". La aproximación verbal "caballo = caballete de tejado" le permite transmutar ahora al inverosímil animal en un objeto inanimado con el que, sin embargo, tiene no sólo el parentesco nominativo sino una similitud formal que salta desde el primer instante a la vista del lector, quien se representa enseguida las vértebras salientes del enteco solípedo magnificadas en las tejas "encaballadas" que unen las dos vertientes del tejado. Ya lo tenemos, desencarnado, remontado y fantástico: otra imagen acude a las mientes. Puesto que la muerte humana suele figurarse en esqueleto portador de la segadora guadaña, si este esquelético rocín tuviera una sería él mismo la muerte de los rocines. Es una manera de decirnos que estaba en los huesos. Sobre esta idea va a insistirse, acudiendo de nuevo al arbitrio de la espiritualización irónica que hemos señalado antes a propósito de sus reverencias. Si el caballo está tan flaco que puede pasar por *memento mori* de los rocines, esa flacura se deberá a razones de ascetismo: "Demostraba abstinencia en su aspecto y echábansele de ver las penitencias y ayunos: sin duda ninguna, no había llegado a su noticia la cebada ni la paja". Pero, sobre todo, "lo que más le hacía digno de risa eran las muchas calvas que tenía en el pellejo, pues, a tener una cerradura, pareciera un cofre vivo". Otra vez el animal, cuya muerte próxima se ha sugerido metafóricamente ("no le faltaba para cerrar sino los ojos"), y cuya estampa se ha dado por símbolo de la muerte de los rocines antes de que, en efecto, quede él mismo muerto como queda al final del capítulo, es comparado a una cosa inanimada: parece un cofre vivo. Solían por aquel entonces forrarse los cofres de piel, que con el tiempo y el uso se gastaba por partes, hacía calvas; y las que este caballo presenta (otra versión del texto dice que "bisnietos tenía en tahonas", aludiendo a los infames pasteles de carne), proclaman su vejez y anticipan el destino póstumo de su pellejo.

En fin, todavía será identificado como un tablón ("iba a la jineta sobre el dicho pasadizo con pies"), y se aludirá a su delgada longitud como "dos leguas de rocín exprimido"...

Las visiones deformadas se repiten con abundancia y variedad calidoscópica. Si el caballo avanza haciendo reverencias, su jinete da vuelcos a un lado y otro como fariseo en paso,[1] con lo que se nos invita a visualizar el

---

[1] No acierto a entender bien qué significa "como fariseo en paso". En las procesiones de Semana Santa suelen figurar "judíos" y "soldados romanos" que acompañan a pie las andas

bamboleo de las andas en los pasos de procesión; y si el famélico animal hace desaparecer en un instante el repollo, éste tardará mucho tiempo en llegarle a las tripas, rodando por un gaznate interminable (el pescuezo más largo que el de un camello). Por último, viene la desintegración total del increíble rocín, quien, "viéndose en aprieto, se esforzó a tirar dos coces, y, de puro flaco, se le desgajaron las ancas, y se quedó en el lodo bien cerca de acabar". El esfuerzo hace, pues, que se desarme (plásticamente expresado: que se desgajen las ancas proyectadas en las coces), no a la manera de un cuadrúpedo que muere, sino como un mueble desencolado que cae a pedazos.

Dentro de este pasaje del *Buscón* hemos seleccionado para nuestro comentario el tratamiento a que su autor somete el caballo por entender que revela de modo muy peculiar la visión del mundo que podemos llamar quevedesca y los recursos literarios puestos en juego para fijarla y transmitirla. El *Buscón* es, como obra juvenil,

donde van las imágenes de algún paso; y son estas imágenes las que suelen bambolearse, dar "vuelcos a un lado y otro", al avanzar sus portadores bajo tanto peso. No parece descaminada la hipótesis de que la redacción original hubiera sido: "dando vuelcos a un lado y otro como *cristo* en paso", pues, aunque muy irreverente, esta comparación es visualmente adecuada. Su atrevimiento pudo dar lugar a la sustitución, que elimina el objeto referido y hace dudosa en su oscuridad la frase.

280

un libro desigual que responde a criterios algo vacilantes (aparte las cuestiones que se planteen acerca de la autenticidad del texto); pero, aun cuando todavía no se encuentre aquí la apretadísima concentración estilística que caracteriza a los escritos del Quevedo maduro, resulta sin embargo inconfundible en ella la marca de su personalidad única.

Decíamos al comienzo que la creación quevediana está fundada sobre un arte de las palabras, y esto en sentido muy específico. Los juegos que con ellas se complace en hacer las someten a metamorfosis de audacia increíble, desde el chiste de la batalla nabal hasta la transferencia del sentido de "cerrar" la dentadura de la bestia en testimonio de su edad avanzada al de cerrar los ojos como expresión metafórica de la muerte, o bien la sorprendente asociación de los nabos con los caballos frisones. El poeta oprime y exprime los vocablos, los aprieta, o por lo contrario los dilata hasta más allá del límite de su elasticidad; los deforma, los contrahace, los acopla, los combina, los funde unos con otros, los retuerce y desmembra, les saca—pudiera decirse—las tripas, y con todo eso extrae del lenguaje significaciones inéditas que apenas éramos capaces de sospechar y que nos dejan pasmados.

Pero los vocablos son meros signos, y el lenguaje alude siempre con su uso a objetos que los trascienden, de modo que las atrevidas manipulaciones del poeta no se agotan en la pura complacencia del juego verbal, sino que éste opera sobre las cosas aludidas penetrando su realidad para ofrecer de ella una visión original y propia.

En efecto, el empleo que un escritor hace de la lengua común expresa su personal visión del mundo; a esto es a lo que llamamos su estilo. Ahora bien, la visión que del mundo tiene Quevedo es corrosiva. Con el instrumento de la palabra desintegra furiosamente las apariencias de la realidad, la destruye, la reduce a astillas, la hace polvo. En otro lugar hemos tratado de mostrarlo insistiendo sobre ese radical nihilismo de su espíritu que, por lo demás, se aviene perfectamente con su ideología conservadora. Eso que le hemos visto hacer con el caballo del rey de gallos es lo que hace en cada caso con cualquier elemento de la realidad sobre el que se posa su mirada y al que aplica los ácidos disolventes de su estilo. De igual manera hubiéramos podido echar mano, por vía de ejemplo, al famoso retrato del dómine Cabra que se encuentra en el mismo *Buscón*. (¡Y en esto consiste el tan ponderado "realismo" de nuestro clásico!)

ÍNDICE

Impreso en el mes de abril de 1974
en los talleres de Ariel, S. A.,
Avda. J. Antonio, 134-138,
Esplugues de Llobregat
(Barcelona)